para falar e escrever melhor o português

Lexikon | *obras de referência*

ADRIANO DA GAMA KURY

para falar e escrever melhor o português

3ª edição – 2ª impressão

© 2022, by Adriano da Gama Kury

Direitos de edição da obra em língua portuguesa adquiridos pela Lexikon Editora Digital Ltda. Todos os direitos reservados. Nenhuma parte desta obra pode ser apropriada e estocada em sistema de banco de dados ou processo similar, em qualquer forma ou meio, seja eletrônico, de fotocópia, gravação etc., sem a permissão do detentor do copirraite.

LEXIKON EDITORA DIGITAL LTDA.
Av Rio Branco, 123 sala 1710 – Centro
20040-905 – Rio de Janeiro – RJ – Brasil
Tel. (21) 2560 2601
www.lexikon.com.br – sac@lexikon.com.br

Veja também www.aulete.com.br – seu dicionário na internet

1ª edição – 1989
1ª edição/2ª reimpressão – 1994
1ª edição/3ª reimpressão – 2008
2ª edição – 2012
2ª edição/ 2ª impressão – 2014
2ª edição/ 3ª impressão – 2019
3ª edição – 2020

CIP-BRASIL. CATALOGAÇÃO NA FONTE
SINDICATO NACIONAL DOS EDITORES DE LIVROS, RJ

K98p
3.ed.

Kury, Adriano da Gama, 1924-2012
    Para falar e escrever melhor o português / Adriano da Gama Kury. - 3. ed. - Rio de Janeiro : Lexikon, 2020.
    224 p. ; 21 cm.

    ISBN 978-65-88871-00-3

    1. Língua portuguesa - Gramática. I. Título.

20-67049   CDD: 469.5
                               CDU: 811.134.3'36

APRESENTAÇÃO

COMO NASCEU ESTE LIVRO

Em muitos dos numerosos cursos que venho dando por este Brasil, ouvi sempre dos meus alunos referências à leveza, amenidade e bom humor com que trato assuntos da língua por vezes áridos. (Nunca me esqueci do conselho ouvido numa aula do Mestre Paulo Rónai: não é ideal a aula que não provoque sorrisos.) Tudo isso aliado à clareza que apontavam na minha exposição, feita em linguagem acessível.

Acreditando que talvez tivessem razão, fui transpondo para a escrita, sem ranço gramatical, muitas dessas aulas: e assim ia nascendo este livrinho, que também se inspirou, posteriormente, para a elaboração de algum capítulo, num de Cesare Marchi intitulado *Impariamo l'Italiano* ("Aprendamos o Italiano"), da Editora Rizzoli, de Milão, que alcançou êxito incomum graças ao tom ameno de que se reveste.

A maior parte do livro, como verá o leitor, é de caráter prático: tive sempre em mente, como caminho para a boa redação, a correção da língua escrita na sua modalidade culta, indispensável a todos em diferentes circunstâncias da vida.

Procurei frisar, no primeiro capítulo, que não se fala uma única modalidade da língua portuguesa, mas várias, de acordo com a ocasião. É privilégio, na escrita, ao contrário de certa corrente em voga, a língua culta, sem excessos de formalismo. Condeno, por outro lado (cap. 2), a linguagem empolada mas vazia de certos setores da Economia, da Sociologia e da Tecnocracia.

Na parte prática trato de temas que vão da acentuação correta e do emprego de certas letras ao uso do hífen (de sistematização oficial tão falha) e das maiúsculas, sem esquecer a cabulosa crase.

Não podia deixar de merecer minha atenção o emprego dos sinais de pontuação, que procuro vincular à melodia da frase.

Dois capítulos são dedicados à boa articulação dos sons na língua falada (10 e 11).

Especial cuidado dei ao estudo do verbo, tratado em cinco capítulos, o último dos quais dedicado aos verbos irregulares, responsáveis por tantos desvios da norma culta.

À sintaxe, nas áreas da concordância e da regência, couberam os capítulos 19 a 22.

Não quis deixar de dar um toque à história da língua: daí a parte chamada "Evolução".

As aulas de redação que venho ministrando há mais de 30 anos — uma das minhas fontes mais ricas — estão na origem dos capítulos finais.

Na sua variedade, que espelha o multiforme da língua, e na boa doutrina que colhi nos meus mestres — especialmente Serafim da Silva Neto, Sousa da Silveira, Matoso Câmara Júnior, Celso Cunha e Aurélio Buarque de Holanda, aos quais deixo aqui meu preito de gratidão e saudade — repousará a utilidade deste livro, que entrego aos leitores desejosos de atualizar e polir seu conhecimento da nossa língua.

Adriano da Gama Kury

SUMÁRIO

PRELIMINAR

1. Você sabe que fala várias línguas? ⌐ 9
2. O economês e outros *eses*: como *não* se deve escrever ⌐ 14

ESCREVENDO NO FIGURINO: ORTOGRAFIA E CRASE

3. Acentos necessários e acentos talvez inúteis ⌐ 18
4. O trema já era, mas como era mesmo? ⌐ 23
5. A letra certa no lugar certo ⌐ 27
6. O hífen — tracinho trapalhão ⌐ 34
7. Dúplices e tríplices: há palavras com mais de uma forma correta ⌐ 48
8. As maiúsculas, a reverência e a tradição ⌐ 52
9. O acento no *à*: a crase ⌐ 58

FALE (E ESCREVA) CORRETAMENTE AS PALAVRAS

10. Evitando deformações ⌐ 68
11. Evitando silabadas: saiba qual a sílaba tônica ⌐ 72

PONTUANDO...

12. A língua escrita e a melodia da frase: os sinais de pontuação ⌐ 78
13. As cadências, o ponto e vírgula e os dois-pontos ⌐ 83

O VERBO — ALMA DA FRASE

14. "No princípio era o verbo" ⌐ 87
15. Ontem, hoje, amanhã: o tempo corre... ⌐ 104
16. O modo da incerteza ⌐ 116
17. O imperativo nem sempre manda ⌐ 121
18. Verbos irregulares (mas nem sempre) ⌐ 125

NA LÍNGUA TAMBÉM HÁ COMANDANTES E COMANDADOS

19. Regentes e regidos: a concordância ⌐ 137
20. O pronome *se* e a concordância ⌐ 148
21. O machismo na linguagem: a concordância nominal. ⌐ 156
22. Regência ⌐ 162

EVOLUÇÃO

23. Nossa herança latina ⌐ 173
24. As invasões estrangeiras ⌐ 184
25. As palavras também mudam de sentido ⌐ 191

A EXPRESSIVIDADE E O ESTILO

26. A língua como instrumento de beleza ⌐ 196
27. A linguagem figurada: as "figuras" ⌐ 201
28. Em busca da palavra exata: a variedade traz beleza ⌐ 208

POSFÁCIO ⌐ 220

PRELIMINAR

1. VOCÊ SABE QUE FALA VÁRIAS LÍNGUAS?

João da Silva talvez nunca se tenha dado conta de que, mesmo sem ter aprendido qualquer idioma estrangeiro, fala (e escreve) mais de uma "língua".

Porque, sem a menor dúvida, não é a mesma a linguagem que usa com os filhos no à vontade de casa, ou na torcida pelo seu clube no estádio, ou numa roda de chope — e a que utiliza, por exemplo, numa conversa formal com o diretor da empresa onde trabalha.

Bem diferente, também, a que emprega numa carta íntima a um velho amigo, ex-colega de ginásio, e a de uma carta de negócios, cerimoniosa.

Esse fato acontece com qualquer pessoa de alguma instrução que viva numa cidade.

Somente no caso raro da língua própria de um pequeno grupo de famílias — apenas falada, sem escrita —, como ainda ocorre em algumas aldeias ou algumas tribos deste vasto mundo, é que haverá uniformidade, limitadas as variações a certos aspectos individuais (de dicção, defeitos de fala, por exemplo).

Já as línguas que possuem as modalidades falada e escrita, tanto mais se diferenciam quanto maior a população que as fala e quanto mais antiga a sua cultura.

No caso da língua portuguesa do Brasil, além das diferenças que se observam entre os nativos das várias regiões — diferenças geográficas, horizontais —, são marcantes também as diferenças resultantes das camadas sociais a que pertencem os usuários, ou do meio e ocasião em que a utilizam — diferenças socioculturais, verticais.

Em resumo, toda língua de cultura, como o português, que possui as modalidades falada e escrita, apresenta níveis — ou "registros", como dizem os linguistas —, que podemos assim esquematizar:

I – LÍNGUA FALADA	II – LÍNGUA ESCRITA
4. ultraformal	4. ultraformal
3. coloquial cuidada (culta)	3. cuidada (culta)
2. coloquial despreocupada, corrente, familiar	2. despreocupada
1. vulgar	1. vulgar

A língua natural, básica, é a falada, que se diferencia, como vimos, de duas formas: geograficamente (falares regionais) e culturalmente (níveis sociais).

Deixando-se de lado as variantes regionais (p. ex., "frear no sinal", Rio de Janeiro e "brecar no farol", São Paulo), verifica-se que não é exatamente a mesma a língua segundo as circunstâncias e o meio social.

Dessa forma, a *vulgar* incorpora termos de gíria, por vezes grosseiros, e nela não existe a mínima preocupação com a NORMA gramatical, totalmente ignorada: é a língua de analfabetos e pessoas sem instrução, de marginais, e mesmo de pessoas com alguma instrução, especialmente jovens, quando se utilizam da língua como simples instrumento de comunicação no seu grupo.

Uns exemplos imperfeitos (porque a língua escrita não consegue reproduzir exatamente todos os fatos observados na fala):

1) "— Tu foi no casamento do Zé?"; "— Teje preso!"
2) "— Tu devia torcê pelo Framengo!"
3) "— 'Cê foi na festa? Como é que 'tava a parada?" "— Pô, a parada 'tava chocante; foi alucinante; só que 'tava o mó craude, saca?"
[= A festa estava ótima, mas muito cheia, entendeu?]

A *coloquial despreocupada* — o nome o diz — é a de conversação, a corrente, de todas as horas, falada por pessoas de maior ou menor instrução em situações informais. Nela se podem introduzir, com moderação, certos termos de gíria mais usuais, que aos poucos se vão incorporando à língua geral e perdendo o seu caráter especializado; é a linguagem familiar por excelência, com um mínimo de policiamento gramatical.

É o nível em que se ouve, por exemplo: "— Você assistiu *o* [em vez de *ao*] Fla-Flu? Infelizmente não pude ir *no* [em vez de *ao*] Maracanã. *Me* disseram [em vez de *Disseram-me*] que o juiz anulou um gol do Flamengo e quiseram agredir *ele* [em vez de *agredi-lo*]." — Ou então: "— *Me* passa o feijão." ou "— Sua irmã *'tá* estudando. Deixe *ela* em paz!"

Na escala seguinte situa-se a *coloquial cuidada* ou *culta*, mais tensa, fiscalizada gramaticalmente: é a linguagem de pessoas educadas e instruídas em situações geralmente formais, sem fugir, contudo, à naturalidade:

"— Você assistiu *ao* concerto da Filarmônica de Viena? Disseram-*me* que o maestro é excepcional. Infelizmente não pude ir *ao* Municipal: estava gripado." "— Só assisti *à* primeira parte do concerto. Deixei-*o* com muita pena, pois tinha um compromisso inadiável, uma festa de bodas de prata."

Há também, cada vez mais restrita, uma modalidade que se pode chamar *ultraformal*, que em tudo imita a língua escrita, e soa como artificial, pelo emprego de termos e construções desusados: é a linguagem de certas conferências e discursos empolados, de algumas reuniões formais acadêmicas.

Na modalidade ESCRITA, o registro *vulgar* é o de pessoas de pouca instrução forçadas a escrever, p. ex., um bilhete apressado, ou um cartaz improvisado, anúncios volantes, uma carta, uma solicitação. Quem escreve nessas condições carrega para a escrita os hábitos do seu nível, que contrastam com os do registro culto:

"Concerta-se [por *Consertam-se*] rádios." — "Não *deixem* [em desacordo com *Aproveite*, mais embaixo] de consultar Madame Soraya! *A* [em lugar de *Há*] poucos dias no Brasil esta vidente resolve seu caso de amor ou de *negoçio* [= *negócio*]. *Aproveite* esta rara oportunidade!"

O melhor exemplo do nível seguinte, a língua escrita *despreocupada*, é a correspondência íntima entre pessoas de instrução. Nesse registro, duas influências se cruzam: a da linguagem coloquial descontraída e a da língua escrita formal. Daí o caráter misto que pode oferecer: de um lado, termos e expressões familiares, ou mesmo de gíria, e desrespeito a certas normas da gramática; de outro, pela própria condição cultural de quem escreve, surgem construções e termos eruditos, determinados igualmente pelo próprio assunto versado.

Este trecho de carta de Monteiro Lobato a seu amigo e também escritor Godofredo Rangel é bem ilustrativo:

"Apontas-me, como crime, a minha mistura do *você* com *tu* na mesma carta e às vezes no mesmo período. Bem sei que a Gramática sofre com isso, a coitadinha; mas me é muito mais cômodo, mais lépido, mais saído — e, portanto, sebo para a coitadinha. Às vezes o *tu* entra na frase que é uma beleza; outras é no *você* que está a beleza — e como sacrificar essas duas belezas só porque um Coruja[1], um Bento José de Oliveira, um Freire da Silva, um Epifânio[2] e outros perobas[3] "não querem"? Não fiscalizo gramaticalmente minhas frases EM CARTAS. Língua de cartas é língua em mangas de camisa e pé-no-chão — como a falada. E, portanto, continuarei a misturar o *tu* com *você* como sempre fiz — e como *não faz* o Macuco[4]. Juro que ele respeita essa regra de gramática como os judeus respeitavam as vestes sagradas do Sumo Sacerdote. Logo, o nosso dever é fazer o contrário.

L(obato)."

(Carta a Godofredo Rangel, 7/11/1904, em *A barca de Gleyre*, 1.º tomo, Brasiliense, São Paulo, 1948, p. 79-80.)

A língua escrita *culta* é (ou deveria ser...) a dos livros didáticos e científicos, de ensaios, dos editoriais e artigos assinados de jornais e revistas, da administração, das leis e atos do Governo: nela existe preocupação em seguir a NORMA gramatical vigente, o PADRÃO CULTO.

Paralelamente a esses numerosos registros, em que predomina a intenção de COMUNICAR, situa-se a LÍNGUA LITERÁRIA, que em princípio tem preocupação estética, expressiva e em tempos passados buscava cingir-se às normas gramaticais.

---

[1] (Antonio Álvares Pereira) Coruja.
[2] (Augusto) Epifânio (da Silva Dias) — Os quatro nomes citados são de autores de gramáticas.
[3] *Peroba* o indivíduo maçador.
[4] *Macuco* é o apelido de um personagem maçante das relações de Lobato e Rangel, desconsiderado pelas suas opiniões excessivamente conservadoras e tolas.

Hoje em dia, diversificou-se bastante. Duas grandes correntes a dividem:

1.ª) A *corrente conservadora*, tradicional, em que se imitam sobretudo os escritores portugueses e brasileiros considerados "clássicos" num sentido amplo.

2.ª) A *corrente renovadora*, que procura aproximar a língua literária da língua oral, e incorpora termos e construções de há muito correntes nesta, e que se evitavam naquela.

Em ambas se podem revelar dois aspectos distintos, um radical, outro moderado.

Numa forma como a *crônica*, por exemplo, vão-se incluindo numerosas construções da língua viva, que assim vai contribuindo para renovar a língua escrita, injetando-lhe nova seiva.

É claro que não constituem compartimentos estanques os vários níveis de uma língua: há permanente intercomunicação entre eles. Na modalidade oral, por exemplo, componentes de um grupo social inferior tendem a imitar os do grupo social mais alto, os quais por sua vez lhe recebem a influência.

O desenho pode dar-nos uma visão de conjunto das modalidades e níveis de uma língua e da sua interinfluência.

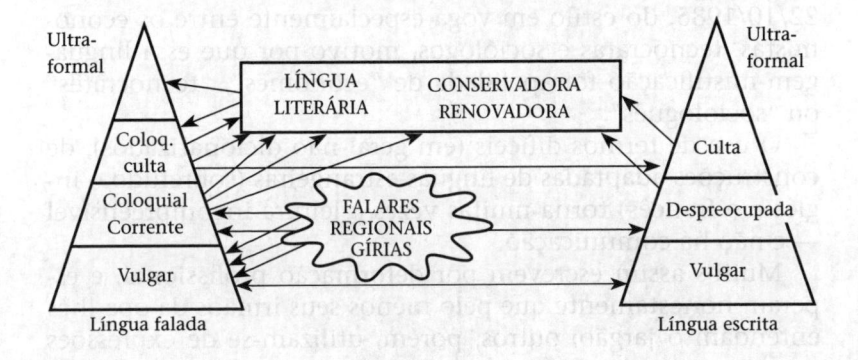

2. O ECONOMÊS E OUTROS *ESES*: COMO *NÃO* SE DEVE ESCREVER

"A nível de ideologização (ainda que primariamente dicotômica) há várias leituras para um discurso autoritário enquanto proposta ele mesmo: há uma tríade de condicionantes obsequentes para que se implante num país e/ou nação uma impostura xenófoba caracterizada por um ufanismo..."

Esse pequeno texto de compreensão nada fácil é uma gozação que o humorista Ziraldo (Ziraldo Alves Pinto) fez, numa página ilustrada do "Caderno B" do *Jornal do Brasil* de 22/10/1985, do estilo em voga especialmente entre os economistas, tecnocratas e sociólogos, motivo por que essa linguagem-mistificação foi apelidada de "economês", "tecnocratês" ou "sociologuês".

O uso de termos difíceis (em geral não dicionarizados), de construções adaptadas de línguas estrangeiras (sobretudo o inglês e o francês) torna muitas vezes a leitura incompreensível — e não há comunicação.

Muitos assim escrevem por deformação profissional, e esperam honestamente que pelo menos seus irmãos da opa lhes entendam o jargão; outros, porém, utilizam-se de expressões que não entendem porque pensam que com elas vão adquirir *status*. Lembram o pobre Fabiano (de *Vidas Secas*, admirável romance de Graciliano Ramos), personagem de minguados recursos de expressão, que às vezes decorava algumas palavras difíceis e empregava-as inteiramente fora de propósito.

Contra esse tipo de palradores, mestres na arte de "não dizer nada com palavras pomposas", já se têm fabricado curiosas montagens de palavras e frases bombásticas, para serem ditas (ou escritas) em ocasiões em que se deseja impressionar os ouvintes (ou os leitores), mas que não querem dizer absolutamente nada. A primeira foi fartamente distribuída em cópias mimeografadas e até publicada no *Informativo* da Fundação Getúlio Vargas. É um exemplo vivo de *como não se deve falar ou escrever*, e serve para desmascarar os "bem-falantes" de ideias vazias... Reproduzimos a seguir uma dessas montagens:

"Como Fazer Carreira sem Muito Esforço

A revista *Newsweek* publicou em 6 de maio de 1963 uma nota interessante: funcionário americano, Philip Broughton, observou, durante anos seguidos, que só fazia carreira em Washington quem falasse embolado. O funcionário, de qualquer categoria, que optasse pela simplicidade, era e é — segundo a revista — sumariamente relegado a posição inferior. Não merece consideração. Daí, teve a ideia de criar uma relação com palavras-chaves a serem usadas na conversação, de maneira a converter frustrados em indivíduos vitoriosos. São 30 palavras-chaves, agrupadas em 3 colunas, com a numeração de 0 a 9:

COLUNA 1	COLUNA 2	COLUNA 3
0 – Programação	0 – Funcional	0 – Sistemática
1 – Estratégia	1 – Operacional	1 – Integrada
2 – Mobilidade	2 – Dimensional	2 – Equilibrada
3 – Planificação	3 – Transicional	3 – Totalizada
4 – Dinâmica	4 – Estrutural	4 – Presumida
5 – Flexibilidade	5 – Global	5 – Balanceada
6 – Implementação	6 – Direcional	6 – Coordenada
7 – Instrumentação	7 – Opcional	7 – Combinada
8 – Retroação	8 – Central	8 – Estabilizada
9 – Projeção	9 – Logística	9 – Paralela

O método de emprego dessas palavras-chaves é o seguinte: escolhe-se, ao acaso, um número qualquer de três algarismos e busca-se a palavra correspondente a cada algarismo em cada uma das três colunas. Por exemplo: o número 3-1-6 produz 'planificação operacional coordenada'; e o número 1-3-9 produz 'estratégia transicional paralela' e o número 7-4-0, produz 'instrumentação estrutural sistemática'. Qualquer delas pode ser referida em conversas, com indiscutível autoridade. Segundo o gaiato e humorado inventor desta fórmula, ninguém fará a mais remota ideia do que foi dito, mas não admitirá tal fato, e, o que é mais importante, as frases soam maravilhosamente bem."

O achado de Broughton correu mundo.

O *Jornal de Notícias* de Lisboa, em sua edição de 9 de maio de 1986, publica lista semelhante, com as seguintes palavras-chaves:

Coluna 1: *opção, flexibilidade, capacidade, mobilidade, programação, conceito, vivência, projeção, equipamento, contingência;*

Coluna 2: *gerencial, organizacional, monitorizado/a, recíproco/a, digital, logístico/a, intermediário/a, incremental, conjuntural, diretivo/a;*

Coluna 3: *integrado/a, total, sistematizado/a, paralelo/a, funcional, receptivo/a, facultativo/a, sincronizado/a, compatível, equilibrado.*

São novas opções, que, com a inclusão de dois substantivos masculinos na 1.ª coluna, permitem ainda maior maleabilidade na fabricação de "belezas" vazias do tipo "conceito logístico receptivo", ou "equipamento organizacional sincronizado", capazes de produzir grande efeito diante de papalvos.

Experimente!

Ainda mais sofisticada é a montagem feita — segundo informa Cesare Marchi no seu livro *Impariamo l'Italiano*, ("Aprendamos o Italiano"), Milão, Rizzoli Ed., 1984 — por dois professores universitários italianos num estudo linguístico intitulado "Prontuário de frases para todos os usos para preencher o vazio de nada", de que traduzimos e adaptamos uma amostra no quadro da página ao lado.

Entrelaçando à vontade as diferentes colunas de que se compõe, podem-se obter milhares de frases, algumas das quais você talvez já haja lido em artigos que devem tê-lo impressionado na ocasião, e que você não deve ter compreendido, o que não é de admirar, porque, com toda a sua sonoridade pomposa, são inteiramente destituídas de sentido...

COLUNA A	COLUNA B	COLUNA C	COLUNA D	COLUNA E	COLUNA F	COLUNA G
1. A necessidade emergente	se caracteriza por	uma correta relação entre estrutura e superestrutura	no interesse primário da população,	substanciando e vitalizando,	numa ótica preventiva e não mais curativa,	a transparência de cada ato decisional.
2. O quadro normativo	prefigura	a superação de cada obstáculo e/ou resistência passiva	sem prejudicar o atual nível das contribuições,	não assumindo nunca como implícito,	no contexto de um sistema integrado,	um indispensável salto de qualidade.
3. O critério metodológico	reconduz a sínteses	a pontual correspondência entre objetivos e recursos	com critérios não dirigísticos,	potenciando e incrementando,	na medida em que isso seja factível,	o aplanamento de discrepâncias e discrasias existentes.
4. O modelo de desenvolvimento	incrementa	o redirecionamento das linhas de tendência em ato	para além das contradições e dificuldades iniciais,	evidenciando e explicitando,	em termos de eficácia e eficiência,	a adoção de uma metodologia diferenciada.
5. O novo tema social	propicia	o incorporamento das funções e a descentralização decisional	numa visão orgânica e não totalizante,	ativando e implementando,	a cavaleiro da situação contingente,	a redefinição de uma nova figura profissional.
6. O método participativo	propõe-se a	o reconhecimento da demanda não satisfeita	mediante mecanismos da participação,	não omitindo ou calando, mas antes particularizando,	com as devidas e imprescindíveis enfatizações,	o coenvolvimento ativo de operadores e utentes.
7. A utilização potencial	privilegia	uma coligação orgânica interdisciplinar para uma práxis de trabalho de grupo,	segundo um módulo de interdependência horizontal,	recuperando, ou antes revalorizando,	como sua premissa indispensável e condicionante,	uma congruente flexibilidade das estruturas.

ESCREVENDO NO FIGURINO: ORTOGRAFIA E CRASE

3. ACENTOS NECESSÁRIOS E ACENTOS TALVEZ INÚTEIS

Examine, leitor, os objetos que o cercam e verifique um fato que vai ter importância para você compreender o porquê da nossa acentuação gráfica: os vocábulos que os designam, em sua grande maioria, terminam nas vogais *a*, *e*, *o* e são paroxítonos, isto é, sua sílaba tônica é a penúltima: *casa, sala, quarto, mesa, cadeira, porta, janela, soalho, tapete, parede, quadro, estante, caneta, livro, lápis* (uma exceção), etc.

A minoria se compõe de: *a)* monossílabos tônicos (*chão, luz, gás, pó*); *b)* de oxítonos terminados em vogal (*chaminé, paletó*) ou em consoante (*papel, xerox, colher*); *c)* de proparoxítonos comuns (*máquina, árvore, lâmpadas*) e ocasionais (*água, rádio, armário, régua, relógio*).

Repare ainda que quase todos esses nomes se usam também no plural, e que o índice de plural em nossa língua é *s*: *casas, paredes, livros, chaminés, lâmpadas, réguas*, etc.

Com base nessa estatística, estabeleceu-se um dos princípios da nossa acentuação gráfica: os paroxítonos terminados em -*a*, -*e* e -*o* (seguidos ou não de *s*), por serem os vocábulos mais frequentes em nossa língua, dispensam acento indicador da sílaba tônica: *sabia, doce, cravo* (e *sabias, doces, cravos*). Já os oxítonos com as mesmas terminações, por constituírem minoria, devem ser marcados com acento gráfico, numa tradição já secular: *sabiá, você, avô, avó* (e *sabiás, vocês, avôs, avós*). Os proparoxítonos, por sua vez, dada a sua relativa raridade, são sempre acentuados: *sábia* (compare com *sabia* e *sabiá*), *lâmpada* (compare com *empada*), *pêndulo* (compare com *penduro*), *régua* (compare com *recua*), *pêssego* (compare com *sossego*), *veículo* (compare com *veiculo*, verbo), *história* (compare com *historia*, verbo), *fôlego* (compare com *pelego*), *úmido* (compare com *unido*).

Os ACENTOS usados em português são os seguintes:

1. ACENTO AGUDO, que, sobreposto às letras *a, e, o*, indica que elas representam vogais abertas: *máquina, cajá, pérola, café, córrego, após*; no *i* e no *u* indica apenas vogal tônica: *índio, túmulo*.

2. ACENTO CIRCUNFLEXO, que, sobreposto a essas mesmas letras, indica que elas representam vogais fechadas: *pântano, pêssego, você, fôlego, compôs*. Nunca se usa no *i* e no *u*.

Usam-se ainda outros sinais:

1. O TIL, que, sobreposto às letras *a* e *o* (só muito excepcionalmente ao *u*, como em *Piüí*[5], *piüiense*), nos adverte que elas estão representando vogais nasais. Compare *lá* e *lã, pois* e *pões, nau* e *não, perdoe* e *expõe, mais* e *mães*.

2. O TREMA, que até a reforma ortográfica de 2009 só ocorria no *u* dos grupos de letras *gue, gui, que, qui*, para assinalar que o *u* aí se pronuncia. Compare *unguento* (escrevia-se *ungüento*) e *briguento, linguista* (*lingüista*) e *droguista, frequentar* (*freqüentar*) e *esquentar, tranquilo* (*tranqüilo*) e *esquilo*. Para mais informações sobre o trema, veja o capítulo seguinte.

A ACENTUAÇÃO DOS MONOSSÍLABOS

Em português, há vocábulos TÔNICOS, providos de acento próprio, e ÁTONOS (na maior parte monossílabos), que se proferem

---

[5] Cidade do estado de Minas Gerais.

fracamente e, na frase, se apoiam num vocábulo vizinho, tônico. Na frase abaixo transcrita, os vocábulos átonos estão grifados:

"*O* ranger/ *das* rodas/ *do* carro/ *de* bois/ *que* passava/ *pela* estrada/ atraiu-*nos* / *para* lá."

Para·distinguir os monossílabos tônicos dos átonos, os tônicos, quando terminados em *-á, -ás, -é, -és, -ê, -ês, -ó, -ós*, recebem o acento devido:

cá; dá, dás (verbo *dar*), *já; há, hás* (verbo *haver*), *lá, má, más* (adj.), *pá, pás, trás, vá, vás, zás!; é, és* (verbo *ser*), *fé, pé, pés, ré, rés, sé, Zé; crê, crês; dê, dês* (verbo *dar*), *lê, lês, mês, rês, sê* (verbo *ser*), *três, vê, vês, quê* (subst.); *cós, dó* (subst.), *nó* (subst.), *nós* (pron. reto), *pó, só, vós* (pron. reto); *pôs, xô!; dá-lo, tê-lo, pô-lo.*

Já os átonos não se acentuam:
a roda *da* fortuna; *as* dores *do* parto; ele *e* ela; Nunca *me* deixes; Sempre *te* amei; Não *se* afaste, peço-*lhe*; Deus *nos* livre!; Era pobre, *mas* orgulhoso; *Se* puder, venha amanhã, *na* hora *de* sempre.

O vocábulo *quê* é **tônico**, e portanto acentuado, quando substantivo ("Embora não seja bela, tem um certo *quê* que a todos cativa."), interjeição (*Quê?!*) e em pausa ou em fim de frase ("A verdade é que tive medo, não sei de *quê*, nem por *quê*.").

Os monossílabos tônicos que terminam em *-i, -is, -u, us, -m, -ns, -l, -r* e *-z*, ditongo ou tritongo não se acentuam:

vi, a ti, por si, lis, giz, vem, vens, tem, tens, rim, rins, qual, quais, seu, ser, rol, traz (v. *trazer*), *vez, eis, tu, pus, luz.*

Uma exceção é a 3.ª pessoa do plural de *ter* e *vir, têm* e *vêm* que leva acento circunflexo para se distinguir da 3.ª pessoa do singular, *tem* e *vem*.

QUANDO SE ACENTUAM OS OXÍTONOS

Só se acentuam os oxítonos terminados em: *-á, -ás, -é, -és, -ê, -ês, -ó, -ós, -ô, -ôs, -ém, -éns*:

está, estás (mas esta, estas), tirá-lo, rapé, revés, mercê, marquês (mas Marques), avó, após, ioiô, expôs; harém, haréns, refém, reféns, convém, detém, deténs, recém-casado.

Nas formas de 3.ª pessoa do plural dos verbos compostos de *ter* e *vir* se usa acento circunflexo, para distingui-las da terceira pessoa do singular: ele *contém* — eles *contêm*; isto nos *convém*, elas nos *convêm*.
Não se acentuam os oxítonos com outras terminações: *parti, tupi, gentis, tatu, expus, Iguaçu.*

OS PAROXÍTONOS ACENTUADOS

Já vimos que não se acentuam os paroxítonos terminados em *-a, -as, -e, -es, -o, -os,* que são os vocábulos mais numerosos da nossa língua.
Igualmente sem acento os que terminam em *-am, -em, ens:*

amam, amaram, acordam, fazem, dizem, querem; jovem, jovens, item, itens, nuvem, nuvens, hifens.

Os que recebem acento, menos numerosos, terminam em *-i, -is, -us, -ã, -ãs, -ão, -ãos, -um, -uns, -n, -om; -ei, eis, -l, -r, -x, -ps*:

júri, tênis, bônus, órfã(s), órgão(s), álbum, álbuns, hífen (mas *hifens*, sem acento!), *pólen, Nélson, cânon, rádom; jóquei, fósseis, fôsseis, fizésseis; grácil, têxtil, túnel, cônsul, dólar, César, câncer; Félix, látex, fênix, sílex, córtex; bíceps, fórceps.*

Os prefixos paroxítonos, quando separados por hífen, não se acentuam porque não têm existência autônoma na língua: *anti*-inflacionário, *semi*-histórico, *super*-homem.

ACENTOS ABOLIDOS PELO ACORDO ORTOGRÁFICO DE 1990

Com a reforma ortográfica, não mais se acentuam:
1. Os ditongos abertos *éi* e *ói* quando recaem em sílabas tônicas de palavras paroxítonas: *ideia, assembleia, proteico* (e não *idéia, assembléia, protéico*); *joia, boia, heroico* (e não *jóia, bóia, heróico*).
OBS.: Mantém-se o acento nesses ditongos quando recai em sílaba tônica de palavras oxítonas (*anéis, heróis*) e de palavras

proparoxítonas (*axóideo*). A palavra *destróier* mantém o acento, como exceção, de acordo com a regra que pede acento sobre vogal tônica em palavra paroxítona terminada em *r*.

2. O acento circunflexo do *ô* tônico em palavras paroxítonas terminadas em *ôo(s)*: *enjoo, voos, abençoo* (e não *enjôo, vôos, abençôo*).

3. Em palavras paroxítonas, o acento agudo em vogais tônicas *i* e *u* após ditongo decrescente: *feiura* e não mais *feiúra*, *alauita* e não *alauíta*.

ACENTO PARA DISTINGUIR VOCÁBULOS TÔNICOS DE ÁTONOS

Como acento diferencial, continuam acentuando-se, por vezes inutilmente, alguns vocábulos tônicos que se escrevem com as mesmas letras de outros átonos:

1. *pôr* (verbo), ao lado de *por* (preposição): "Costumo *pôr* uma camiseta *por* baixo da camisa.";

2. *porquê* (subst.) e *porque* (conjunção): "Gostava de investigar o *porquê* das coisas, *porque* sua curiosidade era grande."

3. *quê* (substantivo) e *que* (pronome ou conjunção): V. o que escrevi sobre monossílabos átonos e tônicos.

4. *pôde* (pretérito do verbo *poder*) e *pode* (presente do verbo poder)

OBS.: O Acordo Ortográfico aboliu a maioria dos acentos diferenciais que ainda estavam em uso: *polo* (e não *pólo*), *pera* (e não *pêra*), *pelo* (e não *pêlo*), etc.

Aí está o porquê do uso de acentos em nossa ortografia oficial.

Lembraria, por fim, que a classe da palavra não importa, para efeito de acentuação. Anote, pois, algumas formas verbais acentuadas:

andávamos, andássemos, andáramos, andásseis;
devíamos, devêssemos, devêramos, devêsseis;
fôramos, fôreis, fôssemos, fôsseis; éramos, éreis; íamos, íeis.

E assim por diante.

4. O TREMA JÁ ERA, MAS COMO ERA MESMO?

A reforma ortográfica de 2009 aboliu o trema em palavras da língua portuguesa. Mas como ele ainda será visto nos livros que foram publicados antes da reforma (que ainda serão, por muito tempo, a grande maioria), vale a pena saber como era usado.

Logo que saíram as notas de NCz$ 50,00 (cinquenta cruzados novos, na época), a Sr.ª João da Silva, que sempre escrevera nos cheques *cincoenta* (por influência de *cinco*), estranhou que nelas estivesse escrito *cinquenta*, e consultou o filho sobre essa grafia.

— Já aprendi isso no colégio! — Joãozinho foi pronto na resposta. E repetiu para a mãe o que lhe haviam ensinado: — *cinqüenta* não deriva de *cinco*, pois a forma antiga era *cinquaenta*. E leva trema porque, na maioria das palavras em que aparece um dos grupos de letras *que, qui, gue, gui*, o *u* é uma letra muda: *esquenta, aquela, esquilo, joguete, seguir*. Mas quando o *u* se pronuncia, põe-se o trema, para evitar erro de pronúncia: *freqüente, tranqüilo, lingüeta, cirigüela, argüir, seqüela...*

A mãe interrompeu-o, perguntando o que significava *seqüela*, mas Joãozinho não soube responder (o vocabulário das novas gerações é tão reduzido!...). E o jeito foi consultar o *Caldas Aulete*, que esclareceu a dúvida: "Continuação, sequência (naquela época, ainda com trema: seqüência); Efeito, resultado ou consequência (na época, conseqüência) de um acontecimento, de um fato, etc.; Anomalia resultante de uma moléstia". E com a consulta surgiram duas palavras tremadas: *sequência* e *consequência*, motivo de comentário de Joãozinho, que estava com a matéria de aula ainda fresca na ponta da língua...

Mas Joãozinho teve de reaprender depois a reforma ortogáfica de 2009, e hoje ele sabe que não existe mais trema na língua portuguesa, e hoje se escreve sequela, linguiça sequência etc.

É claro que nessas palavras, mesmo sem trema, todos sabem que o *u* se pronuncia. Mas em outras pode haver dúvida; e para que você não cometa erros de pronúncia, lembro-lhe aqui as palavras mais frequentes em que, mesmo tendo sido abolido o trema, o *u* deve ser pronunciado:

aguentar, em toda a sua conjugação; *apaziguei, apazigueis, apaziguemos*, do verbo *apaziguar; aquistar; arguir* (e seu composto *redarguir*), nas seguintes formas: em todo o imperfeito (*arguia, arguias, arguíamos, arguíeis, arguiam*); em todo o perfeito simples (*argui, arguiste, arguiu, arguimos, arguistes, arguiram*); em todo o mais-que-perfeito simples: (*arguira*, etc.); em todo o futuro do presente e do pretérito: (*arguirei*, etc.; *arguiria*, etc.); em todo o imperfeito (*arguisse*, etc.) e em todo o futuro do subjuntivo (*arguir, arguires*, etc. — que tem as mesmas formas no infinitivo flexionado); no gerúndio e no particípio (*arguindo, arguido*); nas seguintes formas de *averiguar*: *averiguei, averigueis, averiguemos*;
   banguê;
   banguense;
   bilíngue e *bilinguismo;*
   ciriguela;
   consanguíneo e *consanguinidade;*
   consequência e *consequente;*
   delinquência, delinquente e *delinquir;*
   eloquência e *eloquente;*
   equestre e *equino* (= cavalar);
   equidade;
   frequência e *frequente;*
   lingueta e *linguiça;*
   linguista, *Linguística* e *linguístico;*
   nicaraguense;
   pinguim;
   quinquagésimo;
   quinquenal e *quinquênio;*
   quiproquó;
   reguinha;
   sagui, sariguê e *sarigueia;*
   sequela;
   sequência e *sequente;*

sequestrar e *sequestro;*
Tarquínio;
tranquilidade e *tranquilo.*

Mas cuidado, muitas vezes não se pronuncia o *u:*
adquirir, distinguir, equilíbrio, equitação, equívoco, inquérito, inquirir, perquirir.

Em alguns casos é facultativa a pronúncia do *u;* nas palavras abaixo ele pode ou não ser pronunciado:

anhanguera;
antiguidade;
equilátero;
equidistância, equidistar;
equitativo;
equivalência, equivalente, equivaler;
lânguido;
liquefação, liquefazer;
liquidação, liquidar, líquido;
liquidificador;
questão;
questionar;
quíntuplo;
retorquir;
sanguento;
sanguinário;
sanguíneo;
sanguinolento;
séquito.

Não estaria terminado este assunto sobre o *u* **proferido** se não lembrássemos que nas sequências de letras *gua, guo, qua, quo,* em que o *u* é **sempre** proferido, mesmo antes da reforma ortográfica não se usava trema:

ambíguo, adequado, aguar, aquático, equação, averiguar, linguado, minguante, Nicarágua, Guatemala, oblíquo, quadrúpede, ventríloquo.

Em vocábulos como *catorze/quatorze, cota/quota, cotidiano/ quotidiano, cociente/quociente*, em que é opcional a pronúncia do *u*, essa diferença registra-se na escrita, como se vê dos exemplos.

ACENTO AGUDO NO U

Numas poucas formas de verbos em que o *u* é TÔNICO (e não ÁTONO, como nos casos anteriores), usava-se acento agudo, e não trema, nas sequências de letras *gúe, gúi, qúe,* mas mesmo este acento foi suprimido na reforma ortográfica de 2009:

apazigue, apazigues (do verbo *apaziguar*);
averigue, averigues (do verbo *averiguar*);
oblique, obliques (do pouco usado verbo *obliquar*);
argui, arguis (do verbo *arguir*), *redargui, redarguis* (do v. redarguir).

Uma exceção curiosa é o nome geográfico *Guiana* (e seu derivado *guianense*): o *u* não é tônico, mas subtônico, e por isso não leva acento agudo. Nele caberia acento grave, mas as regras oficiais esqueceram esse caso...

Não será inútil observar que não leva acento o *u* TÔNICO das sequências de letras *gua, guo, qua, quo* destas formas verbais paroxítonas:

argua, arguas, arguo; averiguas, averigua, averiguo; obliqua, obliquas, obliquo.

5. A LETRA CERTA NO LUGAR CERTO

Depois das primeiras aulas de inglês, Joãozinho fez uma grande descoberta, que comunicou em casa ao pai:
— Pai, nós temos sorte de escrever em português: a ortografia inglesa é uma bagunça! Eles usam uma porção de letras que não pronunciam, e um mesmo som é escrito de várias maneiras! Ainda bem que a nossa ortografia é fonética! Nós *escrevemos físico* sem *ph* nem *y*, como é em inglês. — E mostrou ao pai o livro, em que, numa lição sobre esportes, estava escrito *physique*, embora, garantiu, se pronunciasse [fizik] (como, aliás, estava na pronúncia figurada).

João da Silva concordou com o filho, e durante algum tempo Joãozinho permaneceu eufórico diante da simplicidade da nossa ortografia.

Mas tanto o filho quanto o pai só tinham meia razão, porque, embora a nossa escrita seja, na verdade, muito mais simples que a do inglês, está longe de ser fonética, como exemplifica o próprio nome citado por Joãozinho, *físico*, em que se escreve um *s* onde se pronuncia *z*, tal como em *casa, rosa, uso* e dezenas de outras palavras.

Num alfabeto fonético, a cada letra corresponde um único som da língua — ou FONEMA, como dizem os linguistas —, e a cada fonema uma só letra, o que não ocorre com o português, como vamos ver.

Na verdade, em nosso alfabeto há várias letras, além do *s*, que podem figurar fonemas diferentes. O *x* é um bom exemplo. Compare estes vocábulos escritos com *x* com os da coluna ao lado, em que o mesmo som representado por *x* se escreve com letras variadas:

li*x*a   fi*ch*a
au*x*ílio   con*c*ílio
fle*x*ão   fri*cç*ão
e*x*istir   re*s*istir

Por outro lado, um mesmo som pode ser grafado por letras variadíssimas. Veja estes vocábulos, em que o mesmo fonema (que figuraremos pelo símbolo /s/) vem escrito de oito maneiras diferentes!:

cansado – tecido – aço – trouxe – passo – descer – desça – exceder.

(Em alguns desses vocábulos, como você pode ver, duas letras valem por um só fonema: ss, sc, sç, xc. É o que chamamos DÍGRAFOS.)

Se a compararmos com a inglesa ou a francesa, nossa ortografia é, sem dúvida, bastante simplificada; mas está muito longe de ser fonética.

E por que não o é? — perguntará o leitor, com justa estranheza.

São vários os motivos, meu caro, e o principal é a tradição, a história da nossa língua, cuja base é o latim. E uma escrita puramente fonética traria alguns problemas sérios.

Em primeiro lugar, as diferenças de pronúncia regionais e de "registro" cultural provocariam a existência de várias escritas fonéticas; além disso, a própria imagem gráfica dos vocábulos em muitos casos nos pareceria desfigurada, irreconhecível. Vão uns poucos exemplos:

[leitxi]/[leite], [poxtau]/[postal], [dejdji]/[desde], [coléju]/[culéju]/[còléju]/[colégio], [fautá]/[fartá]/[faltar], [dĩeru]/[dinheiro], [gãiá]/[ganhar], etc.

De vez em quando surgem reformadores, sem maior preparo linguístico, a propor uma "ortografia fonétika" que causa a repulsa imediata dos estudiosos da língua.

E é bom lembrar que, quando é preciso reproduzir fielmente a pronúncia de um vocábulo, dispõem os linguistas de um *alfabeto fonético internacional*, de aceitação geral, que resolve quaisquer dúvidas.

Cumpre lembrar, por último, que a norma escrita, entre nós (como nos países civilizados), é objeto de regulamentos e convenções, elaborados por especialistas e, em nosso caso, aprovados por lei federal. Para esclarecimento de todos, publicam-se *vocabulários* e *dicionários* que são os nossos guias no emaranhado ortográfico.

Atualmente, a ortografia oficial do Brasil é regida pelo Acordo Ortográfico da Língua Portuguesa, assinado em dezembro de 1990 pelos sete países nos quais o português é a língua oficial (Angola, Brasil, Cabo Verde, Guiné-Bissau, Moçambique, Portugal e São Tomé e Príncipe), referendado em 2004 pelo Segundo Protocolo Modificativo, ao qual se acrescentou a assinatura de Timor-Leste, e sancionado no Brasil pelo presidente da República em 29 de setembro de 2004 pelo Decreto 6.584, entrando em vigor em 1º de janeiro de 2009. No entanto, até a presente edição desta obra, somente o Brasil adotara oficialmente a nova ortografia, como delineada no Acordo Ortográfico de 1990.

No mesmo ano de 2009, a Academia Brasileira de Letras fez publicar a quinta edição do *Vocabulário Ortográfico da Língua Portuguesa*, que é considerado a última palavra no assunto. Se você quiser escrever corretamente, deve, portanto, submeter-se ao que manda a Lei, e escrever a letra certa no lugar certo...

Não se acanhe de consultar um dicionário. Todos os mestres o fazem!

Concordo em que nem sempre é fácil reproduzir a grafia correta de certos fonemas. Mas o hábito da leitura e da consulta a um dicionário como o *Caldas Aulete* (impresso, ou na internet) o levará, com algum esforço, ao bom caminho.

Vou tentar ajudá-lo, relembrando os casos mais difíceis, sempre fundamentado no que é oficial.

S ou z?

Você há de ficar, por vezes, embaraçado no emprego de certas letras que se usam para representar na escrita o mesmo fonema.

Uma dessas dificuldades: quando escrever *s* e não *z*, ou *z* e não *s*?

Primeiro, as terminações *-ês* e *-ez*, *-esa* e *-eza*. Você deve escrever *-ês*, quando se trata de nomes que indicam o habitante ou natural de um lugar (ou que nele vive), muitas vezes com o feminino em *-esa*: *francês/francesa*, *inglês/inglesa*, *japonês/japonesa*, etc.; *burguês/burguesa* (de um *burgo*), *camponês/camponesa* (do *campo*), *cortês* (da *corte*), *montês* (do *monte*); com *-esa* se escrevem os femininos de certos títulos, como *baronesa* (de *barão*), *consulesa* (de *cônsul*), *duquesa* (de *duque*), *marquesa* (de *marquês*, que era o "governador da *marca*" [fronteira]), *princesa* (de *príncipe*). (O títu-

lo *condessa*, feminino de *conde*, se escreve com *ss*! Convém lembrar ainda os femininos *pitonisa, poetisa, profetisa, sacerdotisa*.)
Com *-ez* ou *-eza* se escrevem nomes femininos (sem masculino!), derivados de outros nomes: *acidez* (de *ácido*), *agudeza* (de *agudo*), *alteza* (de *alto*), *aridez* (de *árido*), *avareza* (de *avaro*), *certeza* (de *certo*), *embriaguez* (de *embriagado*), *escassez* (de *escasso*), *natureza* (de *natura*), *rigidez* (de *rígido*), *rijeza* (de *rijo*), *solidez* (de *sólido*), *tristeza* (de *triste*) — e dezenas de outros.
Outras terminações que convém distinguir: a dos verbos em *-isar* e *-izar*. Escreva com *z*:
1. os verbos derivados de um nome que já contenha um *z*, como *abalizar* (de *baliza*), *ajuizar* (de *juízo*), *deslizar* (de *deslize*), *enraizar* (de *raiz*), *envernizar* (de *verniz*), *matizar* (de *matiz*);
2. os verbos derivados de um nome a que se acrescente *izar*: *agonizar* (de *agon*[*ia*]), *amenizar* (de *amen*[*o*]), *anarquizar* (de *anarqu*[*ia*]), *batizar* (de *bat*[*ismo*]), *catequizar* (*de catequ*[*ese*]), *civilizar* (de *civil*), *concretizar* (de *concret*[*o*]), *exorcizar* (de *exorc*[*ismo*]), *realizar* (de *real*), *simpatizar* (de *simpat*[*ia*]), *utilizar* (de *útil*).

Em *-isar* terminam uns poucos verbos da mesma família de vocábulos em que já existe *s*: *alisar* (de *liso*), *analisar* (de *análise*), *avisar* (de *aviso*), *eletrolisar* (de *eletrólise*), *frisar* (de *friso*), *guisar* (de *guisa*), *paralisar* (de *paralis*[*ia*]), *pesquisar* (de *pesquisa*), e alguns mais.
Além desses casos, que podem caber em regras, procure gravar estas palavras que se escrevem com *s* ou *z* de acordo com a sua história.

Com *s*: ananás, anis, arrasar, ás, asa, atrás, atrasar, atraso, através, Baltasar, brasa, coser (= "costurar"), despesa, Dinis, empresa, extravasar, freguês, freguesia, gás, gasolina, hesitar, obus; pôs, pus, puser, pusera, pusesse (do v. *pôr*); querosene; quis, quiser, quisera, quisesse (do v. *querer*); represa, Resende, revés, Satanás, siso, Teresa, usina.

Com *z*: abalizado, amizade, aprazível, atroz, azar, azia, baliza, buzina, cafuzo, cozer (= "cozinhar"), deslize, desprezar, esvaziar, feliz, felizmente, fuzil, fuzilar, giz, jazida, Muniz, prazo, preconizar, prezado, proeza, regozijo, revezar, rezar, trazer, vazar, vazio, vizinho, xadrez.

C, ç, s, ss, sc, sç, x, xc

Outro fonema cuja grafia traz dificuldades é o /s/, que, como já vimos, pode representar-se de oito maneiras.

Com c ou ç: à beça, açaí, açu (e quaisquer palavras com esta terminação), almaço, censo (recenseamento), cerrar (= fechar), cerzir, cessão (de ceder), cetim, cidra, concertar (= ajustar, harmonizar), concerto (reunião musical, acordo), dança, escocês, exceção, facínora, juçara, maçada, maçante, maciço, miçanga, muçulmano, obcecado, paçoca, recender, rechaçar, resplandecer, ruço (= grisalho), soçobrar, seção ou secção (= parte de um todo, divisão), Suíça, vicissitude.

Com s: ânsia, ansioso, ascensão, asteca, cansar, consertar (= remendar), conserto (remendo, reparo), descanso, dissensão, distensão, excursão, farsa, hortênsia, obsessão, pretensão, recenseamento, senso (= juízo), universidade.

Com ss: admissão, alvíssaras, asseio, carrossel, cassino, cessão (de ceder), discussão, escassez, presságio, procissão, profissão, repercussão, ressurreição, ressuscitar, sessão (= reunião), sossego, verossímil.

Com sc, sç: abscesso, abscissa, consciência, crescer, cresça, cresço, descer, desça, desço, discente, enrubescer, florescer, intumescer, nascer, nasça, nasço, obsceno, rescindir, seiscentos, víscera.

Com xc: exceção, exceder, excepcional, exceto, excitação.

Ch e x

Também nos causa dúvida o emprego de ch e x, já que têm o mesmo valor fonético.

Com ch escrevem-se: charque, chimarrão, chuchu, cochichar, cocho (= vaso de madeira), encharcar, facho, flecha, tacha (= prego; mancha), tachar (= acusar).

Com x: coxo (= manco, que coxeia), enfaixar, enfeixar, faixa, faxina, mexer, muxoxo, paxá, puxar, taxa (= imposto), taxar (impor taxa), xá (soberano do Irã), xale, xará, xavante, xereta, xerife, xícara, xingar.

G ou j?

G (antes de *e*, *i*) e *j*, que indicam o mesmo som, podem trazer embaraços. Anote, então.

Com *g*: an*g*élico, estran*g*eiro, fuli*g*em, *g*irafa, *g*íria, here*g*e, mon*g*e, ri*g*idez, ti*g*ela, a via*g*em.

Com *j*: a*j*eitar, an*j*inho, berin*j*ela, can*j*ica, gor*j*ear, gor*j*eio, gor*j*eta, gran*j*ear, inter*j*eição, *j*eito, *j*enipapo, *j*erimum, *j*iboia, *j*iló, *j*irau, la*j*e, lambu*j*em, lison*j*ear, lo*j*ista, ma*j*estade, man*j*edoura, pa*j*é, pa*j*em, re*j*eição, re*j*eitar, ri*j*eza, sar*j*eta, tra*j*e, ultra*j*e, vare*j*ista, via*j*e, via*j*es, via*j*emos, via*j*eis, via*j*em (do v. *viajar*).

E ou i?

As letras *e* ou *i*, quando em posição átona, têm muitas vezes pronúncia igual, e disso resultam dúvidas na hora de escrever: d*e*spender ou d*i*spender?, pát*e*o ou pát*i*o? Daí a necessidade de consultar o dicionário. Abaixo você encontra uma relação de palavras que mais embaraços podem trazer.

Com *e* se escrevem as formas de 3.ª pessoa dos verbos da 1.ª conjugação, como abenço*e* (de *abençoar*), acentu*e* (de *acentuar*), averigu*e* (de *averiguar*), continu*e* (de *continuar*), insinu*e* (de *insinuar*), entre outras. Com *i* as dos verbos da 3.ª conjugação, que já têm *i* no infinitivo: atribu*i* (de *atribuir*), constitu*i* (de *constituir*), exclu*i* (de *excluir*), influ*i* (de *influir*), e tantas mais.

Anote ainda estas grafias:

Com *e*: ant*e*diluviano, arr*e*ar (= pôr *arreios*), bal*e*eira, cand*e*eiro, card*e*ais (pontos), card*e*al, conf*e*ssionário, conf*e*te, cum*e*ada, cum*e*eira, d*e*scrição (= ato de d*e*screver), d*e*spautério, d*e*spender (mas d*i*spêndio), d*e*ssemelhante, d*e*stilar, d*e*scriminar (absolver de crime, isentar de culpa), *e*minente (ilustre), *e*mpecilho, *e*ncarnação (e *E*ncarnação), *e*ncorpar, *e*ntoação (mas intonação), paletó, parêntese(s), Pireneus, quepe, senão, sequer, umedecer (mas úmido).

Com *i*: aborígine (preferível a aborígene), acriano (o Acordo Ortográfico descartou o antes admissível acreano), adiantar, adiante, arriar (= abaixar), balzaquiano, caititu, calcário, camoniano (e os nomes derivados de substantivos próprios, como machadiano, saussuriano, shakespeariano, wagneriano), casimira, Casimiro, cerimônia, cordial, cordialmente, crânio, criar (e criador, Criador, criatura), crioulo, dentifrício, diante, digladiar-se, dilapidar, discrição (= qualidade de quem é discreto), discriminar (= distinguir, diferençar), escárnio, esquisito, Eurípides, feminino, frontispício, Ifigênia, iminente (= próximo), incorporar, inigualável, inquirir, intitular, intonação, intumescer, Istambul, lampião, pátio, pior, pontiagudo, privilégio, requisito, réstia, Sigismundo, terebintina, Virgílio.

O ou u?

Com *o* e *u*, em posição átona, dada a identidade de pronúncia, ocorrem também dúvidas frequentes: polir ou pulir? bolir ou bulir? Para facilitar sua tarefa, fui aos vocabulários e organizei a relação das palavras em que mais frequentemente se hesita na grafia dessas duas letras.

Com *o*: banto (melhor que bantu), cobiça, comprimento (= extensão), engolir (e engolimos, engolis), esgoelar-se, goela, mágoa, mocambo, monjolo, óbolo, poleiro, polir, Romênia, romeiro, sortimento, sortir (abastecer), tribo, zoada, moqueca.

Com *u*: bruxulear, bueiro, bulir, burburinho, camundongo (preferível a camondongo), cumbuca (preferível a combuca), cumprimentar, cumprimento (saudação), curinga, curtir, curtume, cutia (animal), entabular, estadual, jabuti, jabuticaba, juá, juazeiro (e joazeiro), Luanda, Manuel, manuelino, muamba (preferível a moamba), rebuliço, regurgitar (preferível a regorgitar), de supetão, surtir (= resultar), tabuada, tabuleiro, tabuleta, usufruto, zulu (com a variante zulo).

Se me estendi muito neste capítulo, perdoe-me o leitor, mas não tenho culpa de a nossa ortografia não ser fonética...

6. O HÍFEN — TRACINHO TRAPALHÃO

O *hífen*, esse tracinho minúsculo também conhecido como *traço de união* (nome desprezado oficialmente porque nem sempre une, também separa), tem o seu emprego regulado (até recentemente, melhor seria dizer *des*regulado) pelas instruções do *Vocabulário* da Academia Brasileira de Letras; e, nas suas omissões, pela tradição, pela analogia e pelo bom-senso. O Acordo Ortográfico de 1990 trouxe muitas mudanças no uso do hífen, e deve-se estar muito atento a essas mudanças, que às vezes não parecem ser muito coerentes. Por exemplo, o *Vocabulário* registra *tique-taque* e *zigue-zague*, mas os verbos *tiquetaquear* e *ziguezaguear*.

Mas vamos aos hifens. Entre os seus préstimos, de todos conhecidos, alguns há que não trazem problemas:

1. Separa os pronomes átonos enclíticos ou mesoclíticos das formas verbais a que se referem: *pôr-se*, *dir-se-ia*.

2. Separa as sílabas (nem sempre rigorosamente) dos vocábulos que, no fim de uma linha, nela não couberam por inteiro: *cons-/ tru-/ ir* (mas *pas-sar*, *guer-ra*). Quando a palavra é composta com hífen, e este coincide com o fim da linha, recomenda-se repeti-lo no início da linha seguinte: *guarda-/ -chuva*.

3. Indica a supressão de parte de um vocábulo: "A palavra *esclarecer* é formada do prefixo *es-*, do radical *-clar-*, do sufixo *-ec-* e da terminação *-er*."; "As *macro-* e microrregiões."

Outra das suas serventias é unir os elementos de uma palavra composta: *beija-flor*, *editor-proprietário*, *cor-de-rosa*.

O Acordo Ortográfico aboliu os hifens em locuções, a menos que expressem termos de botânica ou zoologia (nomes de plantas ou de animais), além das seguintes exceções: *água-de--colônia, arco-da-velha, cor-de-rosa, mais-que-perfeito, pé-de-meia, ao deus-dará, à queima-roupa*. E suprimiu o hífen, *juntando os termos*, nas seguintes palavras, antes compostas (também exceções, portanto): *girassol, mandachuva, madressilva, paraquedas* (e todas as suas derivadas), *passatempo* e *pontapé*. Nos demais casos, manteve-se o hífen (*marca-passo, tira-teima, monta-cargas, reco-reco, para-lama*, etc.).

Mas aqui já começam as dificuldades, pois nem sempre é pacífico entre os autores o que se deve considerar como "palavra composta", diferente de "locução" e de "expressão".

Em princípio, devem unir-se com hífen as palavras que no conjunto adquirem um novo sentido, como é o caso de termos do tipo *olho-d'água* (= "nascente"), *amor-perfeito* (nome de uma flor).

O Acordo Ortográfico, portanto, regula e limita a tendência de unir grupos de palavras "sentidos" como unidades de significação, tais como *ponto de vista, meio ambiente*, não registrados como compostos pelos dicionários nem pelo *Vocabulário* oficial,

Vale a pena anotar algumas palavras compostas, de várias classes, unidas pelo hífen:

I – SUBSTANTIVOS

boa-fé, má-fé, bom-senso, bom-tom, bem-estar, mal-estar, livre-câmbio, livre-arbítrio, lugar-comum, mais-valia, matéria-prima, etc.

Entre os substantivos compostos convém lembrar os que designam plantas, em alguns dos quais figuram substantivos que de próprios se tornaram comuns (e portanto se escrevem com inicial minúscula). Como já foi mencionado, todos os termos compostos que designam espécies botânicas ou zoológicas levam hífen, mesmo que sejam locuções:

castanha-do-pará, laranja-da-baía, lágrimas-de-nossa--senhora, palma-de-santa-rita, erva-doce, erva-de-passarinho, erva-de-santa-maria, capim-limão, beija-flor, etc.

Outros são formados de verbo mais substantivo:

guarda-roupa, mata-cavalo, para-brisa, quebra-pedra, para-raios, vira-casaca, bota-fora, etc.

Alguns são formados de substantivo mais adjetivo (ou vice-versa):

alto-forno, alto-relevo, amor-perfeito, baixo-relevo, baixa-mar (O adjetivo está no feminino porque *mar*, antigamente, era desse gênero.), *dedo-duro, má-criação, mãe-benta, mau-caráter, mau-olhado, pão-duro,* etc.

Outros designam a soma dos componentes:
saia-calça, claro-escuro, capitão-médico, editor-proprietário, dois-pontos, engenheiro-agrônomo, etc.

Anote ainda estes:
tim-tim, zum-zum, lufa-lufa, lusco-fusco, obra-prima, primo-irmão.

II – ADJETIVOS

Além dos adjetivos compostos do tipo *anglo-americano, luso-brasileiro, surdo-mudo,* anote mais estes que se unem pelo hífen: *sem-par, sem-pulo, sem-sal, sem-vergonha.*

III – ADVÉRBIOS

assim-assim, mal-mal

IV – INTERJEIÇÕES

zás-trás!

OS PREFIXOS E O HÍFEN

O Acordo Ortográfico dirimiu algumas das dificuldades surgidas no uso do hífen, cujas regras oficiais implicavam várias contradições.

Quem escrevia ficava perplexo diante de incoerências como estas dos dicionários (que nisto seguiam o *Vocabulário* da Academia até a quarta edição): *co-interessado,* mas *coirmão; auto-sugestão* (com hífen para não se ter de usar dois *ss*), mas *hiposse-*

creção com dois *ss, semi-interno*, mas *antiinfeccioso; super-homem* e *anti-humano* (com hífen para conservar o *h*), mas *lobisomem* e *desumano* sem *h; semi-reta* e *auto-retrato* (com hífen para evitar os *rr* dobrados), mas *trirreme, microrregião* com os *rr* dobrados...
— Que bagunça esse negócio do hífen! — foi o protesto natural de Joãozinho durante uma aula, o que lhe valeu injusta reprimenda do professor.

Conta-se que, ao ser publicado em 1943 o *Pequeno Vocabulário* da Academia, o velho mestre do Colégio Pedro II, Prof. José Oiticica, justamente indignado com a falta de critério das regras sobre o hífen, desafiou o relator das Instruções e executor do *Vocabulário* a submeter-se a um ditado, o que evidentemente não foi aceito...

Mas para que você e o Joãozinho não fiquem perdidos nesse labirinto oficial, faço aqui uma tentativa de orientá-los com uma sistematização o quanto possível didática, seguindo as normas oficiais, em vigor desde janeiro de 2009, supostamente de conformidade com o Acordo Ortográfico de 1990, e normatizadas na 5ª edição do *VOLP* (*Vocabulário Ortográfico da Língua Portuguesa*, da Academia Brasileira de Letras).

PREFIXOS E ELEMENTOS DE COMPOSIÇÃO TERMINADOS EM VOGAL

1.º GRUPO (15):

6 terminados em -*a*: *contra-, extra-, infra-, intra-, supra-, ultra-*;
2 terminados em -*e*: *ante-, sobre-*;
3 terminados em -*i*: *anti-, arqui-, semi-*;
4 terminados em -*o*: *auto-, neo-, proto-, pseudo-*.

REGRAS:

As palavras compostas com esses prefixos e elementos de composição só pedem o hífen quando o segundo elemento começa com a mesma vogal em que termina o prefixo ou elemento de composição, ou com *h*. Em todos os demais casos aglutinam-se com o segundo elemento. Quando a primeira letra do segundo elemento é *r* ou *s*, esta se duplica.

Exemplos:

contra-almirante, contra-historicismo, contrarrevolução, contrassenso;
extra-abdominal, extra-hospitalar, extrassensorial, extrarregimental;
infra-atômico, infra-humano, infrarrenal, infrassom;
intra-arterial, intra-hepático, intrarracial, intrassomático;
supra-auricular, supra-humanismo, suprarrenal, suprassumo
ultra-aquecido, ultra-hiperbólico, ultrarrápido, ultrassom;
ante-estreia, ante-histórico, anterrosto, antessala;
sobre-elevado, sobre-humano, sobrerroda, sobresselo;
anti-inflacionário, anti-histórico, antirrábico, antissocial;
arqui-inimigo, arqui-hipérbole, arquirrival, arquissacerdote;
semi-internato, semi-heresia, semirreta, semissilvestre;
auto-oxidante, auto-hipnose, autorretrato, autossuficiente;
neo-ortodoxia, neo-helênico, neorromantismo, neossimbolismo;
proto-orgânico, proto-história, protorromance, protossolar;
pseudo-osteose, pseudo-hérnia, pseudorraiva, pseudossábio.

Nas demais circunstâncias, pelas novas regras, não se emprega o hífen, e os prefixos ou elementos de composição se aglutinam com o elemento seguinte:

anteato	extraoficial	pseudociência
antediluviano	extraterritorial	pseudoetimologia
antiaéreo	infracitado	pseudoprofeta
antimilitarismo	infraestrutura	semiárido
arquiduque	infravermelho	semibárbaro
arquioligarca	intracraniano	semideus
autoanálise	intramuros	semimorto
autobiografia	intraocular	sobretaxa
autocrítica	intravenoso	sobreunha
autodefesa	neoacadêmico	supracitado
autodidata	neoclássico	supramencionado
autolotação	neocriticismo	supraoccipital
contragolpe	neogramático	ultraconservador
contraindicado	neolatino	ultracorreção
contratorpedeiro	neotomismo	ultraotimista
contraveneno	protoevangelho	ultravioleta
extrafino	protomártir	
extralinguístico	protovértebra	

OBS. 1: Confundindo o elemento de composição *auto-* com a redução homônima de *automóvel*, o *Vocabulário* engloba a ambos na mesma regra. Portanto: *autoestrada, auto-ônibus, autolotação, autoviação.*

OBS. 2: Nalgumas palavras, como *protorganismo*, o *o* final do prefixo se elide, dando-se a aglutinação; noutras, além da forma-íntegra, o *VOLP* consigna também a forma aglutinada: *pseudoartrose* e *pseudartrose, pseudoestesia* e *pseudestesia, pseudo--ofite* e *pseudofite*. Isso acontece também com outras composições, como *termoelétrico* e *termelétrico, eletroencefalograma* e *eletrencefalograma*, etc.

PREFIXOS E ELEMENTOS DE COMPOSIÇÃO TERMINADOS EM CONSOANTE

1º GRUPO (4):

4 terminados em *-r: ciber-, hiper-, inter-, super-.*

REGRA: Pedem o hífen apenas quando seguidos de *h* e *r*.

Exemplos:
super-homem, super-requintado; inter-resistente, inter--hospitalar, hiper-realista, hiper-honesto, ciber-rede.

Nos demais casos não se usa o hífen:
superabundante, superdotado, interestadual, internacional, hiperestesia, hipertrofia, ciberespaço, ciberpirata.

OBS. 1: O Acordo Ortográfico de 1990 menciona neste caso apenas *hiper-, inter-* e *super-*, no entanto, o uso frequente do elemento de composição *ciber-* em nossos tempos, referente ao campo da cibernética, justifica incluí-lo aqui.

OBS. 2: Poder-se-ia considerar também, dentro da mesma regra e com as mesmas aplicações, o pouco usado prefixo *nuper-*, que significa 'recentemente', 'há pouco tempo'.

2º GRUPO (1): *mal-*.

REGRA: Pede o hífen quando seguido de *vogal* ou *h*.

Exemplos: *mal-acabado, mal-agradecido, mal-assada, mal-assombrado, mal-educado, mal-estar, mal-humorado, mal-ajambrado.*

Nos outros casos não ocorre o hífen: *malcriado, malfazejo, malferido, malgrado, malmequer, malquerença, malquisto, malsão, malsoante, malversar, malvisto.*

3.º GRUPO (1): *bem-*.

REGRA: Emprega-se o hífen "quando forma com o elemento que se lhe segue uma unidade sintagmática e semântica".

Exemplos:
bem-amado, bem-aventurado, bem-casado, bem-comportado, bem-educado, bem-humorado, bem-estar, bem-parecido, bem-soante, bem-falante, bem-vindo, bem-sucedido.
Mas: *bendito, bem-dizer* e *bendizer, benfeitor, benfeitoria, bem--querença* e *benquerença, bem-querer* e *benquerer, benquisto.*

Repare-se que *bem* e *mal*, usados como advérbio, numa frase, não se aglutinam, nem se separam com hífen:
"Gosto de carne *mal assada*."
[Compare: "A *mal-assada* (= fritada de ovos) estava deliciosa."]

"Um recado *mal entendido* não pode ser *bem transmitido*."
[Compare: "Por um *mal-entendido* (= equívoco) quase houve uma tragédia."]

"Traz os cabelos *bem* (ou *mal*) arranjados."

4º GRUPO (2): *circum-* e *pan-*.

REGRA: Usa-se hífen quando o segundo elemento começa por *vogal, h, m* ou *n*.

Exemplos:
circum-escolar, circum-hospitalar, circum-murado, circum-navegação; pan-americano, pan-helênico, pan-mediterrâneo, pan-nacional.

Mas:
circumpolar, circumpolaridade; pangermânico, pantelegrafia.

OBS.: Em muitos casos, o prefixo *circum-*, quando se aglutina com o segundo elemento, adquire a forma *circun-*: *circuncircular, circungirar, circunvizinhança, circunvolver,* etc.

5.º GRUPO (4):

4 terminados em *-b*: *ab-, ob-, sob-* e *sub-*.

REGRA: Pedem o hífen quando seguidos de elementos começados por *r* que inicie sílaba ou *b* (*VOLP*).

Exemplos:
ab-reação, ab-reptício, ab-rogação, ab-rogar, ab-rogatório; ob-repção, ob-reptício, ob-rogação, ob-rogar; sob-roda, sob--rojar; sub-raça, sub-região, sub-reino, sub-rogar; sub-base, sub-borato.

OBS. 1: O *VOLP* registra também, além de *ab-rupto*, a forma *abrupto*.

OBS. 2: O Acordo Ortográfico não inclui na regra para uso do hífen com os prefixos terminados em *b* a condição de que o segundo elemento comece com *h*. Especialmente no caso de *sub-* (o *VOLP* não registra ocorrências com os outros prefixos, a não ser *abhenry*), numa reação à repugnância que nos causam formas como *subepático, subumano, subumanidade, subirsuto, subíspido,* o *VOLP* registra igualmente *sub-hepático, sub-humano, sub-humanidade, sub-hirsuto, sub-híspido*. Não registra *suborizonte* nem *suborizontal* (mas sim *sub-horizonte* e *sub-horizontal*).

Sem o hífen noutros casos: *subauricular, subestelar, subintenção, subdiretor, subsecretário, subdesenvolvido, subperíodo,* etc.

6.º GRUPO (1): *ad-*.

REGRA: É seguido de hífen quando antes de *r* que inicie sílaba ou *d*: *ad-digital, ad-referendar, ad-renal, ad-rogar* (e derivados), *ad-rostral*.

PREFIXOS QUE SEMPRE SE SEPARAM PELO HÍFEN

Consagrados pelo uso com o hífen, assim conserva o Acordo Ortográfico de 1990 os seguintes prefixos: *além-, aquém-, recém-, ex-* ("com o sentido de cessamento ou estado anterior"); *vice-* e seu sinônimo arcaico *vizo-; sota-* e *soto-; pós-, pró-* e *pré-* (quando acentuados); *sem-*.

Exemplos:
além-fronteiras, além-mar, além-túmulo; aquém-fronteiras; recém-casado, recém-chegado, recém-nascido, recém-vindo; ex-aluno, ex-deputado, ex-diretor, ex-presidente; vice-almirante, vice-presidente, vizo-rei; sota-capitânia, sota-piloto, sota-vento; soto-soberania; pós-datar, pós-dorsal, pós-glacial, pós-operatório; pró-democracia, pró-soviético; pré-agônico, pré-aviso, pré-escolar, pré-histórico, pré-natal, pré-nupcial, pré-romano; sem-cerimônia (s.f.), *sem-deus, sem-dita, sem-fim, sem-fio, sem-justiça* (s.f.), *sem-modos, sem-nome, sem-número, sem-par, sem-partido, sem-pátria, sem-pudor, sem-razão* (s.f.), *sem-sal, sem-termo, sem-trabalho, sem-vergonha, sem-vergonhez(a), sem-vergonhice, soto-por.*

Não faltam as exceções: *alentejano* (de *Alentejo*), *sotaventear*. Repare-se ainda que, referidos a substantivos próprios, *além* e *aquém* se escreviam separadamente, "porque não constituem unidade semântica" (*Formulário Ortográfico*, § 49, 2°, obs. 1.ª), Exemplos: *além Andes, aquém Atlântico*. Mas o Acordo Ortográfico de 1990 (Base XV, 5º) modificou essa regra, e exemplifica: *além-Atlântico, aquém-Pireneus*. Entretanto, *Alentejo* se escreve aglutinado.

Quanto a *pos-, pre-* e *pro-* inacentuados, é preciso advertir se a palavra que se compõe de um desses prefixos é ou não antiga na língua: se for antiga, o prefixo é átono e aglutinado ao radical: *pospasto, pospor, pospositivo; preanunciar, preconceber, predestinar, predizer, predomínio, preestabelecer, preexistente, prefigurar, pregustar, prenunciar, pressentir, pressupor, pretônico, prever, previsível; procônsul, propugnar, prorrogar, prorromper*. Observe-se que o *VOLP* registra, sem qualquer esclarecimento, *preocupação* e *pré-ocupação, pretônico* e *pré-tônico*.

PREFIXOS CO- E RE-

Antes do Acordo Ortográfico e da publicação da quinta edição do *VOLP*, era difícil ter uma orientação clara quanto ao emprego do hífen nos compostos com o prefixo *co-*. O *Pequeno Vocabulário* não formulava qualquer regra a seu respeito nas "Instruções": limitava-se a registrar, com ou sem hífen, os vocábulos dele formados. E a primeira impressão era de perplexidade: *co-administrar, coadquirir, co-educação, coexistência, co--inquilino, coirmão, co-herdar, colimitar, co-participar, coonestar, co-responsável, correligionário*, etc.

O *Vocabulário* da Academia das Ciências de Lisboa, em que se baseara o nosso, tentava uma justificação teórica: "É seguido de hífen, por ter evidência semântica especial, quando, com o sentido de *a par*, se liga a elementos morfologicamente individualizados." Como se vê, de pouco nos servia a regra. Parece-nos que a antiguidade do termo na língua, e o consequente uso aglutinado, é que norteara os vocabularistas dalém e daquém-mar. No *VOLP* há uma predileção avassaladora para a aglutinação do prefixo *co-*:

coabitar
coagente
coagir
coagregar
coaluno
coaquisição
coarrendatário
coarticulação
coassociado
coautor
coavalista
cobeligerante
cocredor
codelinquente
codemandante
codescobrir
codevedor
codialeto
codiretor
codonatário

cofiador
cofundador
cogerir
coigualdade
coincidir
coindicar
coinquilino
coirmão
coadquirir
cointeressado
colateral
colatitude
colegatário
coleitor
colíder
coliderança
coligação
coligar
colimitar
colitigante

coobrigar
coocupar
cooficiar
coonestar
cooposição
coopositor
cooptar
coparceiro
coparticipar
copartícipe
coperíodo
copiloto
coprocurador
coprodução
coprodutor
corradical
corredator
correferir
corregente
correger

coedição
coeditor
coeducação
coeleitor
coequação
coerdar
coerdeiro
coessência
coestaduano
coeterno
coexistência
coextensão

colocutor
cologaritmo
colongitude
comandante
comandatário
comediador
comensurável
coministro
conacional
conotação
conotar
coobrigação

correlacionar
correlatar
correligionário
corresponsável
corréu
cossecante
cosseguro
cosseno
cossignatário
cotutela
cotutor
coutente

O Acordo Ortográfico e a subsequente publicação do *VOLP* propiciaram uma solução simples e inequívoca – como deviam todas ser – tanto para o uso do *co-* como para o uso (não mencionado no Acordo) do *re-*. Simplesmente, esses prefixos *nunca* serão seguidos de hifens e *sempre* se aglutinarão, qualquer que seja o caso. Até mesmo como exceção às regras que preconizam o hífen quando seguido de *h* ou de vogal idêntica àquela com que termina o prefixo. Mantém-se, nos dois casos, a regra de duplicação de *r* e de *s*.

Então:

coexistência, copiloto, coerdeiro (e não *co-herdeiro*), *coobrigação* (e não *co-obrigação*); *correlação, cosseno; reorganização, refazimento, reospitalização* (e não *re-hospitalização*), *reerguimento* (e não *re-erguimento*), *rerratificar, resserrar*.

Se todas as regras e usos fossem coerentes assim, como seria fácil escrever corretamente...

Paralelamente à aplicação das regras do Acordo Ortográfico, de acordo com a quinta edição do *Vocabulário*, os elementos de composição *ântero-*, *ínfero-*, *póstero-* e *súpero-* perderam o hífen e o acento, e se aglutinaram, como nos exemplos abaixo:

ântero-inferior (passou a *anteroinferior*), *ântero-interior* (agora *anterointerior*), *ântero-interno* (*anterointerno*), *ântero-lateral* (*anterolateral*), *ínfero-anterior* (*inferoanterior*), ínfero-exterior (inferoexterior), ínfero-interior (inferointerior), ínfero-lateral (inferolateral), ínfero-posterior (inferoposterior), ínfero-súpero (inferossúpero), póstero-exterior (posteroexterior), póstero-inferior (posteroinferior), póstero-superior (posterossuperior), súpero-exterior (superoexteterior), súpero-interior (superointerior), súpero-posterior (superoposterior), etc.

PREFIXOS E ELEMENTOS DE COMPOSIÇÃO QUE NUNCA ADMITEM O HÍFEN

Depois de estabelecer regras e contrarregras a respeito de quando se utiliza o hífen com tais e tais outros prefixos, o *VOLP* consigna sem hífen, em qualquer circunstância, os compostos com uma série de prefixos, e numerosos radicais usados apenas como elementos de composição. Tais são:

1. Prefixos quantitativos e numerais: *uni-, mono-, bi-, di-, tri-,* etc.; *multi-, pluri-, ambi-, poli-, anfi-, hemi-* e alguns mais;

2. Prefixos que não constam das relações anteriores, como: *apo-, cata-, dia-, endo-, hipo-, meta-, para-, retro-*;

3. Radicais latinos e gregos usados em composição, como, por exemplo: *aero-, agro-, alo-, antropo-, audio-, auri-, bio-, braqui-, caco-, cefalo-, cardio-, cloro-, cromo-, denti-, dermo-, electro-, equi-, ferro-, fibro-, filo-, fito-, fono-, foto-, geo-, hetero-, hidro-, homo-, iso-, linguo-, macro-, medio-, meso-, micro-, mini-, morfo-, neuro-, oftalmo-, oleo-, paleo-, psico-, radio-, socio-, tele-, termo-, zoo-,* etc.

Alguns exemplos:

unissexual	multirradiado	apossínclise
monorrítmico	plurisseriado	catatermômetro
bissemanal	ambisséxuo	endovenoso
biebdomadário	polissíndeto	hipossecreção
dissílabo	anfiteatro	metapsíquico
trirreme	hemissecção	parassintético

retrovisor	cacorritmia	radiotelefonia
aeroespacial	cefalorraquidiano	fibrorradiado
hidrossolúvel	cardiorrenal	fibrossedoso
homorgânico	cardiovascular	filarmônico
homossexual	cloroanemia	filossoviético
isossilábico	clorossulfato	fitogeografia
linguidental ou	cromofotografia	fonorreceptor
linguodental	cromossoma	fotocomposição
macroeconomia	minissaia	fotossíntese
macrorrino	morfo(e)strutura	geossinclinal
mediopalatal	morfofonêmico	heteroinfe(c)ção
mesorrino	morfossintaxe	heterorgânico
microeconomia	neurossífilis	hidroelétrico ou
microrregião	oftalmorragia	hidrelétrico
microssulco	oleorricinato	radiouvinte
aerofotogrametria	paleozoologia	radiumeral
agroindústria	psicopatológico	sociocultural
agropastoril	psicossocial	socioeconômico
agropecuário	psicossomático	sociolinguístico
alorritmia	radiotécnico	sociopolítico
antropogeografia	dentilabial ou	teleimpressão
antropossocial	dentolabial	telessismógrafo
audiovisual	dentirrostro	termoelétrico ou
audiosseletividade	dermorreação	termelétrico
aurirrubro	ele(c)trossíntese	termonuclear
bioestatística	equissonância	termorreação
braquirrino	ferrossilício	zoogeografia

Se você teve paciência de acompanhar-me até aqui, parabéns! Merece um doce...

Mas, como não há memória que grave todas as regras e contrarregras sobre o emprego do hífen, consulte sempre, na dúvida, um dicionário recente, como, por exemplo, atualizado pela nova ortografia, o *Minidicinário Contemporâneo Caldas Aulete*.

7. DÚPLICES E TRÍPLICES: HÁ PALAVRAS COM MAIS DE UMA FORMA CORRETA

O uso — que faz a norma — ainda não fixou definitivamente a forma de certos vocábulos; e, enquanto ocorrer mais de uma pronúncia autorizada, é arbitrário exigir o emprego de determinada variante.

Em razão disso, o *VOLP* consigna numerosas dessas variações possíveis, algumas das quais relaciono a seguir.

1. Um dos casos resulta da pronúncia facultativa de certas consoantes (por exemplo, *contacto*, também proferido *contato*, ambas as formas igualmente boas). Aqui vai uma extensa lista desses vocábulos:

(Registro em primeiro lugar a forma que considero — ou que o *Vocabulário* oficial considera — preferível.)

acessível / accessível
aspecto / aspeto
cepticismo / ceticismo
céptico / cético
conjectura(r) / conjetura(r)
contráctil / contrátil
corrupção / corrução
corruptela / corrutela
corruptível / corrutível
corrupto / corruto
der(r)elicto / der(r)elito

eréctil / erétil
espectro / espetro (e seus
   vários compostos, como
   espectroscópio / espetroscópio)
estrito / estricto
estupefação / estupefacção
estupefato / estupefacto
excepcional / excecional
expectativa / expetativa
inacessível / inaccessível
indene / indemne

infecção / infeção
infeccioso / infecioso
inspeção / inspecção
inspecionar / inspeccionar
insurrecto / insurreto
intelecto / inteleto
interjectivo / interjetivo
jactancioso / jatancioso
jactar-se / jatar-se
láctico / lático
laticínio / lacticínio
netuniano / neptuniano
occipital / ocipital
optimizar / otimizar
ótica / óptica
ótimo / óptimo
perspectiva / perspetiva
prospecção / prospeção
prospecto / prospeto
retrátil / retráctil
seção / secção

secionar / seccionar
septuagenário / setuagenário
setenal / septenal
setilha / septilha
setissílabo / septissílabo
setor / sector
sintático / sintáctico
suntuosidade / sumptuosidade
suntuoso / sumptuoso
sutil / subtil
sutileza / subtileza
táctil / tátil
tatilidade / tactilidade
tectônica / tetônica
transacto / transato
súdito / súbdito
suscetibilidade / susceptibilidade
suscetível/susceptível
vindita / vindicta
voluptuoso / volutuoso

São igualmente dúplices as numerosas palavras em que entram os radicais *dactil-* e *electr-*, que mais comumente se escrevem sem o c, quando de uso geral:

datilografia / dactilografia
dactiloscopia / datiloscopia
electrocardiograma / eletrocardiograma
eletrólise / electrólise
pterodáctilo / pterodátilo

2. Outra ocasião de ocorrência de formas duplas e triplas está na faculdade de proferir ou não determinada vogal átona, que pode ser absorvida pela sua vizinha. Alguns exemplos:

atomoelé(c)trico atomelé(c)trico
cerebrospinal / cérebro-espinhal / cerebrespinhal
ele(c)troacústico / ele(c)tracústico
geo-história / geistória
hidroálcool / hidrálcool
hidroavião / hidravião
hidroelé(c)trico / hidrelé(c)trico
hidroenergia / hidrenergia
hipoacusia / hipacusia
inferovariado / ínfero-ovariado
macroestrutura / macrostrutura / macrestrutura
microestrutura / microstrutura / micrestrutura
microrganismo / microorganismo
proto-evangelho / protevangelho
pseudo-artrose / pseudartrose
pseudestesia / pseudo-estesia / pseudostesia
termoelé(c)trico / termelé(c)trico
termoestável / termostável / termestável

3. Um terceiro caso é provocado pela possibilidade de variar a posição da sílaba tônica:

acrobata / acróbata
albuminúria / albuminuria (e outros compostos com o radical -*úria*)
andreólito / andreolito (e outros compostos com o radical -*lito*)
cerebromalacia / cerebromalácia (e outros compostos com o radical -*malacia*)
duplex / dúplex
estereótipo / estereotipo
nefelibata / nefelíbata
neurópata / neuropata (e outros compostos com o radical -*pata*)
ortoepia / ortoépia
projetil / projétil (e o seu plural *projetis / projéteis*)
quadruplex / quadrúplex / quádruplex

réptil / reptil (e o seu plural *répteis* / *reptis*)
triplex / tríplex
xerox / xérox

4. Cabe lembrar também a alternância dos ditongos *oi/ou* em numerosas palavras, como por exemplo:

açoite / açoute
coisa / cousa
louro / loiro
mourão / moirão

5. Têm forma dupla, também, uns poucos nomes de uso culto terminados em *-n* e *-is*, com variantes sem o *-n* e em *-e*, mais usadas; sirvam de exemplo:

abdômen / abdome
albúmen / albume
alúmen / alume
gérmen / germe
regímen / regime
êxtasis / êxtase
parêntesis / parêntese

6. Não se podem esquecer alguns plurais duplos e triplos de nomes terminados em *-ão*, como *guardiães* / *guardiões*, *aldeãos* / *aldeões* / *aldeãs*. A tendência popular, nestes casos, é decidir pelo plural mais frequente, em *-ões*, que se adota, aliás, para as palavras introduzidas mais recentemente na língua, como exemplificam *vagões* e *cormorões*.

8. AS MAIÚSCULAS, A REVERÊNCIA E A TRADIÇÃO

Depois da invenção da imprensa, foram-se estabelecendo normas para o emprego das iniciais maiúsculas, nem sempre uniformes de língua para língua. (Uma delas, o alemão, chega ao exagero de escrever com inicial maiúscula TODOS os substantivos.)

Muito ligado a esse uso está o respeito que sempre mereceram os superiores, por parte dos que se situavam em nível social inferior.

Assim, a tradição escrita da nossa língua registra, em tempos menos remotos, a maiúscula nos nomes que designam altos cargos civis — começando com o Rei ou o Imperador, até, descendo na hierarquia, o Duque, o Conde, o Marquês, o Barão — ou religiosos: Papa, Cardeal, Arcebispo, Bispo.

Essa maiusculização estendeu-se às "formas de tratamento" criadas para os ocupantes desses cargos, tanto no tratamento direto, de 2.ª pessoa (Vossa Majestade, Vossa Alteza, Vossa Excelência, Vossa Senhoria; Vossa Santidade, Vossa Reverendíssima), quanto no indireto, de 3.ª pessoa (Sua Majestade, Sua Alteza, Sua Excelência, etc.), inclusive quando abreviadas (S.M., V.Ex.ª, etc.).

Modernamente, cada língua possui suas normas, e os formulários ortográficos, baseados na tradição, muitas vezes hesitante, dos escritores mais próximos de nós, fixaram regras, um tanto incompletas, para o emprego das maiúsculas iniciais.

(Machado de Assis, por exemplo, geralmente escrevia "câmara dos deputados", ou "senado", ou "ministério da agricultura", ou "imperador" com iniciais minúsculas.)

Algumas das regras oficiais são tão evidentes que nem precisam ser lembradas: todos sabem, por exemplo, que se usa inicial maiúscula em seguida a um ponto. Mas surge a dúvida se a palavra vem depois de dois-pontos.

Nesse caso, deve ser maiúscula a inicial quando se trata de uma citação direta, entre aspas. Um exemplo:

> Foi Machado de Assis quem escreveu: "O mistério é o encanto da vida."

Mesmo que não venha precedida de dois-pontos, a frase entre aspas recebe inicial maiúscula:

> Quando escreveu que "O mistério é o encanto da vida.", Machado de Assis estava definindo o seu processo criador.

Todos sabem igualmente que os nomes próprios se escrevem com inicial maiúscula. Essa expressão "nomes próprios" engloba (segundo critérios nem sempre unânimes):

1. Nomes de pessoas (antropônimos), incluindo-se alcunhas:

> O sonho de Alexandre, o Grande, era dominar o mundo.

2. Nomes de entidades sagradas, religiosas, mitológicas:

> Deus, Alá, Jeová, Tupã, Júpiter, Espírito Santo, Nossa Senhora, etc.

É da tradição religiosa usar maiúscula inicial nos pronomes referentes a Deus e a Maria:

> A Ele rogamos e nEle confiamos.
> A Ti (ou a Vós, a Ela) recorremos.

3. Nomes de lugares (países, cidades, etc.), regiões geográficas, topônimos (mares, rios, lagos, montanhas, etc.); linhas geográficas imaginárias; logradouros públicos:

> A Espanha e Portugal, situados na Península Ibérica, estão separados do restante da Europa pelos montes Pireneus.

O Ocidente e o Oriente devem lutar por uma coexistência pacífica.
O Parque do Flamengo e a Quinta da Boa Vista são duas das maiores áreas verdes do Rio de Janeiro.
O Trópico de Capricórnio passa perto da cidade de São Paulo.
A Rua da Quitanda é dos poucos logradouros que conservam seu nome antigo.

OBS.: Há quem preconize que os termos (em nomes de lugares) que indicam o tipo de lugar, acidente geográfico etc. têm inicial minúscula: parque do Flamengo, rua da Quitanda, praça da Liberdade etc.). Genericamente, isso implica que os nomes comuns que acompanham os nomes próprios de acidentes geográficos escrevem-se com minúsculas: o canal do Panamá, a ilha da Madeira, o rio Amazonas, a península Ibérica, o cabo da Boa Esperança, etc.

4. Nomes de astros, em sentido amplo:

O Sol, estrela de 5.ª grandeza, pertence à galáxia da Via Láctea, e à sua volta giram, além da Terra, mais oito planetas, o maior dos quais é Júpiter.
O homem já pisou na Lua.

Quando usados fora do contexto astronômico, *Sol* e *Lua* se escrevem com minúsculas: banho de sol, namorar à luz da lua.

5. Nomes de eras e períodos históricos, épocas e eventos notáveis:

A Héjira (ou Hégira), a Idade Média, o Renascimento, o Quinhentos (século XVI), a Idade Moderna, a Revolução Francesa, a Revolução Industrial, a Grande Depressão, a Segunda Guerra Mundial, a Proclamação da República, etc.

Neste item devem incluir-se, com toda a razão, os nomes de movimentos estéticos, filosóficos, políticos, doutrinários, etc., embora muitos, imitando os franceses, não sigam este preceito:

O Classicismo, o Iluminismo, o Romantismo, o Positivismo, o Cristianismo, a Reforma e a Contrarreforma, o Nazismo e o Fascismo, o Marxismo, etc.

6. Títulos de livros, jornais, revistas e produções do intelecto humano, que tradicionalmente se escrevem em tipo diferente, o grifo:

Entre as obras-primas da literatura universal têm lugar de relevo a *Ilíada* e a *Odisseia* de Homero, a *Eneida* de Virgílio, a *Divina Comédia* de Dante, o *Dom Quixote* de Cervantes, *Os Lusíadas* de Camões, o *Paraíso Perdido* de Mílton.

Com as *Memórias Póstumas de Brás Cubas* se inicia a segunda fase da obra de ficção de Machado de Assis; à sua primeira fase pertencem *A Mão e a Luva*, entre outros romances, e *Contos Fluminenses* e *Histórias da Meia-Noite*.

A *Nona Sinfonia* de Beethoven; *As Bodas de Fígaro* de Mozart; *A Adoração dos Magos* de Leonardo da Vinci.

Embora este preceito seja de lei, muitos não o seguem, especialmente no campo da Biblioteconomia, a pretexto de uma pretensa uniformidade nas várias línguas. Neste caso, seriam em maiúscula as palavras iniciais e, naturalmente, os nomes próprios: *Memórias póstumas de Brás Cubas, Para falar e escrever melhor o português, Dicionário analógico*, etc.

7. Nomes de instituições públicas e privadas, agremiações, partidos políticos e congêneres:

Ministério da Educação, Academia Brasileira de Letras, Organização das Nações Unidas, Sociedade Protetora dos Animais, Partido Socialista, Partido Democrático, Fundação de Assistência ao Estudante, Lexikon Editora Digital, Fundação Casa de Rui Barbosa, etc.

8. Altos conceitos religiosos, nacionais e políticos:

A Igreja, a Pátria, a Nação, o Estado, a Democracia, o Exército, a Marinha, a Aeronáutica, o Império, a República, o Congresso Nacional, o Senado, a Câmara, etc.

Quando usados em sentido geral ou indeterminado, esses nomes se escrevem com inicial minúscula:

Costa Rica, pequena república da América Central, beneficia-se de um dos mais altos níveis de vida da América Latina. — A democracia pode existir tanto numa república quanto numa monarquia.

9. Nomes de "artes, ciências ou disciplinas, bem como os que sintetizam, em sentido elevado, as manifestações do engenho e do saber":

Astronomia, Economia, Informática, Engenharia; Direito, Medicina, História, Letras, Artes, Ciências Humanas, etc.

10. Nomes de festas religiosas:

Epifania, Páscoa, Quaresma, Ascensão, Natal, etc.

11. Substantivos comuns tornados próprios por personificação ou individuação, e seres morais ou fictícios:

A Antiguidade, o Amor, o Ódio, a Saudade; a Corte, a Capital, o Poeta (Camões); o Lobo e o Cordeiro, a Cigarra e a Formiga; etc.

12. Nomes que designam altos cargos, dignidades ou postos:

Presidente da República, Governador, Prefeito; Papa, Cardeal, Arcebispo, Bispo; Embaixador, Chanceler, Ministro, Primeiro-Ministro; Rei, Imperador, Príncipe, Princesa, Duque, Conde, Marquês, Barão, etc.: "O Presidente Kennedy foi assassinado." — "O Duque de Wellington venceu Napoleão em Waterloo." "O Conde d'Eu casou com a Princesa Isabel"

13. Nas expressões de tratamento e reverência, inclusive quando abreviadas, e nos títulos que as acompanham:

Sr., Dr., DD. ou Dig.^{mo}, Exmo, V.S.^{a}, V.Ex.ª, Rev.; Magnífico Reitor, Sr. Diretor, MM. Juiz de Direito, Sua Alteza Real o Príncipe X, etc.

" S. Ex.ª O Ministro da Cultura visitou a Casa de Rui Barbosa."

Esta norma é frequentemente desrespeitada, porém.

9. ACENTO NO À: A CRASE

Já se disse (e tem-se repetido) que "a crase não foi feita para humilhar ninguém". Isso reflete, sem dúvida, as lembranças nada agradáveis do tempo de estudante, com a humilhação de notas baixas causadas ou pela falta ou pela presença indevida de acento grave no *a*, usado para indicar a CRASE.

Mas o que vem a ser *crase*? Essa palavrinha de origem grega quer dizer "fusão", ou seja, "mistura". Por exemplo, quando digo "Beatriz é um*a* alun*a a*plicada.", o *a* final de *uma* se mistura com o *a* inicial de *aluna*, e o *a* final de *aluna* se funde com o *a* inicial de *aplicada*: nessa frase houve, na fala, duas crases que não se assinalam na escrita, onde os dois *aa* permanecem.

Nesta outra frase: "Não deu atenção a este nem *a* aquele aviso.", faz-se crase, na fala, entre a preposição *a* e o *a* inicial do pronome *aquele*. E neste caso é costume, hoje, escrever apenas o segundo *a*, e marcar a crase com acento grave: "Não deu atenção a este nem *àquele* aviso." O mesmo ocorre com *aquela* e *aquilo* (que, antecedidos da preposição *a*, formam crase e se escrevem *àquela, àquilo*).

Além deste primeiro caso de crase marcada na escrita, há outro mais comum: quando a preposição *a* (que se usa depois de certos verbos e nomes) se junta, numa frase, com o artigo feminino *a* (ou seu plural *as*), que se usam antes de muitíssimos substantivos femininos, como "*a* Faculdade", "*a* Bahia", "*as* conclusões do inquérito", etc.

Assim, numa frase como "— Você já foi *à* Bahia?", o *a* se acentua porque o nome feminino *Bahia* se usa com o artigo *a* ("*a* Bahia"), e *foi*, forma do verbo *ir*, é seguida da preposição *a*, como na frase "Você já foi ao Pará?" [Observe que, sendo *Pará* do gênero masculino, vem antecedido do artigo masculino *o*, que se junta, **mas não se mistura**, com a preposição *a*, dando a combinação *ao*.]

Se não houver preposição, ou se o nome feminino **não se usa** com artigo, não haverá dois *aa*, não haverá crase, e portanto o *a* não se acentua: "*A* Bahia tem muitos encantos." [Esse *a* é simples artigo.]; "Você já foi *a* Brasília?" [*Brasília*, embora do gênero feminino, não se usa com artigo: "*Brasília* (e não *A Brasília*) tem uma arquitetura original."; "Estive *em* Brasília." (e nunca *na Brasília*).]

Veja outros exemplos:

a) "Dirigiram-se *à* Faculdade." [O verbo *dirigir-se* pede preposição *a*, e o substantivo feminino *Faculdade* vem precedido do artigo *a*, tal como *colégio* tem o artigo *o* ("Dirigiram-se *ao* colégio.")]

b) "As conclusões do inquérito foram satisfatórias." [O *a* de *As* não se acentua porque não há crase: *as* é apenas artigo feminino plural.]

c) "Todos ficaram atentos *às* conclusões do inquérito." [O *a* de *às* leva acento porque houve crase: o adjetivo *atentos* pede a preposição *a*, e o substantivo feminino *conclusões* se usa aí com o artigo feminino do plural *as*.]

É preciso observar, ainda, que às vezes o substantivo feminino vem oculto, subentendido:
"Prefiro a Universidade Federal *à* Estadual." [Antes de *Estadual* subentende-se *Universidade*.]
"Não aderiu à proposta dos patrões, mas *à* do Sindicato." [Antes da contração *do* subentende-se *proposta*.] (Em casos como este, quando o substantivo feminino vem subentendido, *a* e *as* não se classificam como artigo, que vem sempre acompanhando um substantivo, mas como pronome demonstrativo.)

Depois desta introdução necessária, um fato importante deve ser fixado antes de mais nada:
A não ser no primeiro caso que examinamos (preposição *a* + *aquele* (ou *aquela*, ou *aquilo*), do que resultam as escritas *àquele*, *àquela*, *àquilo*), SÓ É POSSÍVEL A CRASE QUANDO SE JUNTAM, NUMA FRASE, A PREPOSIÇÃO *A* E O ARTIGO FEMININO OU O PRONOME DEMONSTRATIVO FEMININO *A*, PLURAL *AS*.

E como essas duas formas do artigo ou pronome só ocorrem antes de (ou substituindo) substantivos FEMININOS (no caso do pronome, ocultos por estarem subentendidos), fica-nos fácil estabelecer os casos em que NÃO PODE haver crase, e em que, portanto, NÃO se acentua o *a*: Veja o quadro da página 61.

A CRASE FACULTATIVA

Em alguns casos, pelo fato de ser opcional o uso do artigo antes de certas palavras femininas, também será facultativa a crase, se ocorrer a preposição *a*.

1. Antes dos pronomes possessivos *minha(s)*, *tua(s)*, *sua(s)*, *nossa(s)*, *vossa(s)*, fica ao gosto do falante usar ou não o artigo *a*, *as*: tanto é correto dizer "*Minha* terra tem palmeiras.", sem artigo, como "Vou cantar *a minha* terra.", com artigo *a* (tal como é indiferente dizer "*meu* país" ou "*o meu* país").
"Voltarei afinal *a* minha terra." (tal como "*a* meu país"), ou "Voltarei afinal *à* minha terra." (tal como "*ao* meu país").
"Prestava atenção *a* sua voz." (como "*a* seu canto"), ou "Prestava atenção *à* sua voz." (como "*ao* seu canto").
"Aderiu *a* nossa campanha." (como "*a* nosso partido."), ou "Aderiu *à* nossa campanha." (como "*ao* nosso partido").

2. Conforme o gosto, a intimidade, ou a região do falante, é variável o uso do artigo *a* antes de substantivos próprios femininos de pessoa: *Maria*, ou *a Maria* (tal como *João* ou *o João*).
Por esse motivo, é também variável a ocorrência de crase antes dos nomes próprios personativos *femininos*, quando precedidos da preposição *a*:
"Quando morreu Carolina, sua esposa, Machado de Assis dedicou-lhe admirável soneto, intitulado 'A Carolina'."
"Abraços *à* Diana." (Presume-se intimidade.) "Deu uma lembrança *a* Catarina, sua secretária."

3. Num outro caso, a existência da variante *até a* para a preposição *até*, em muitos casos indiferente, torna opcional a crase, quando essa preposição vem seguida de *a, as* ou de *aquele(s), aquela(s), aquilo*:
"Ora ia *até* A (ou À) janela da esquerda, ora até A (ou À) da direita."
"Foi *até* AS (ou ÀS) últimas consequências."
"*Até* A (ou À) vista!"
"O homem já foi *até* A (ou À) Lua."

QUADRO-RESUMO DOS CASOS EM QUE *NÃO* SE ACENTUA O *A*

CASOS	EXEMPLOS
1.º – Antes de substantivos masculinos: EXCEÇÃO: Quando se subentende *à moda* (*de*); *à maneira* (*de*); *faculdade, universidade, empresa, companhia*:	andar *a* pé; máquina *a* vapor; vendas *a* prazo; caminhões *a* frete; dinheiro *a* rodo; viagem *a* Portugal e *a* São Paulo; *a* João da Silva. Poeta *à* Olavo Bilac; Vestir-se *à* Pierre Cardin; Requereu um diploma *à* Cândido Mendes; Conceder privilégio *à* Volkswagen.
2.º – Antes de verbo:	demorou *a* chegar; aprendeu *a* ler; condições *a* combinar; caso *a* estudar; *a* transportar; *a* recolher.
3.º – Antes do artigo indefinido *uma* e dos pronomes que não admitem o artigo *a* (pessoais, de tratamento, indefinidos, demonstrativos, relativos *que, quem, cujo*):	Não me submeto *a* uma exigência dessas; *a* mim; *a* ela; *a* si; *a* VS.ª; *a* V. Ex.ª; *a* nenhuma parte; *a* cada uma; *a* qualquer hora; *a* uma hora qualquer; *a* ninguém; *a* nada; *a* certa hora; *a* essa hora; *a* quem respeito; *a* cuja autoridade me submeto; *a* que me refiro.
4.º – Antes de numerais:	de 11 *a* 20; de 1939 *a* 1945.
5.º – Entre substantivos iguais:	face *a* face; gota *a* gota; de parte *a* parte; corpo *a* corpo.
6.º – Quando está sozinho antes de palavra no plural:	*a* obras; *a* matérias difíceis; *a* pessoas ilustres; *a* considerações variadas; *a* conclusões favoráveis; *a* forças ocultas.
7.º – Antes de *Nossa Senhora* e de nomes de santas:	Apelava *a* Nossa Senhora e *a* Santa Bárbara.
8.º – Depois de preposições (*ante, após, com, conforme, contra, desde, durante, entre, mediante, para, perante, sob, sobre, segundo*):	ante *a* evidência; após *as* aulas; conforme *a* ocasião; contra *a* maré; desde *a* véspera; durante *a* aula; entre *as* árvores; mediante *a* força; para *a* paz; perante *a* sociedade; sob *a* fiscalização; sobre *a* questão do petróleo; segundo *a* lei.
9.º – Antes da palavra *casa* quando se refere ao próprio lar:	Voltou *a* casa a fim de apanhar dinheiro para ir *à* Casa Matos.
10.º – Antes da palavra *terra* quando se opõe a *bordo*:	Logo que o navio atracou, os marujos desceram *a* terra.
11.º – Quando, antes de substantivo feminino, se subentende o artigo indefinido *uma*:	Estava entregue *a* terrível depressão; Procedeu-se *a* minuciosa busca.
12.º – Antes de nomes de lugar que não admitem o artigo *a*:	Fui *a* Brasília, *a* Fortaleza, *a* Belém, *a* Natal, *a* Recife, *a* Maceió, *a* Roma, *a* Paris, *a* Lisboa, *a* Londres, *a* Roraima.

AS LOCUÇÕES FORMADAS COM SUBSTANTIVOS FEMININOS

Existem em nossa língua numerosas locuções (adverbiais, prepositivas e conjuncionais) formadas com a preposição *a* e substantivo feminino. E desde tempos antigos se vêm usando com acento no *a* (ou, mais antigamente, com dois *aa*, quando não era generalizado o uso dos acentos), tais como *à custa de, à espada, à fome, à força, à toa, à vela* (escrita *aa vela* em Camões), *às cegas, às vezes,* e tantas mais.

Alguns gramáticos (e não gramáticos...) brasileiros têm discutido a existência de crase em algumas dessas locuções porque, comparando-as com outras em que figuram substantivos masculinos, não encontram aí o artigo do masculino, como *a remo, a ferro, a vapor.*

Esquecem-se, porém, de um fato importante, decisivo mesmo: os portugueses acentuam o *a* quando o pronunciam aberto (como em *à vela, à fome*), como acontece quando há crase de dois *aa*, ao passo que noutros casos, em que o *a* é preposição ou artigo, pronunciam-no com timbre fechado. Desse modo, já que nós brasileiros, em qualquer caso, pronunciamos de igual maneira *à* ou *a,* devemos guiar-nos, *na escrita,* pela pronúncia portuguesa.

Estão neste caso, entre algumas outras, as seguintes:

à baila (= a propósito)
à beça
à beira de
à boca pequena (= em voz baixa, em segredo)
à cata de
à chave
à conta de
à cunha (muito cheio de gente)
à deriva (= sem rumo)
à direita
à distância
à escuta
à espreita
à esquerda
à exceção de
à falta de

à farta
à feição de
à fina força
à flor de (= à superfície de)
à fome (*de fome*, mas *pela fome*, com artigo)
à força (de)
à francesa
à frente (de)
à fresca
à gandaia (= sem destino)
à garra (= à deriva)
à grande (= à larga)
à guisa de (= à maneira de)
à imitação de
à larga
à luz ("dar à luz" = ter [um filho])
à mão
à maneira de
à matroca (= sem rumo)
à medida que
à mercê de
à míngua (= em penúria, na miséria)
à míngua de (= à falta de)
à minuta
à moda (de)
à noite (*de noite*, mas *pela noite*, com artigo)
à paisana
à parte
à pressa
à primeira vista
à porfia (= em disputa)
à procura de
à proporção que
à puridade (= em particular, em segredo)
à queima-roupa
à revelia
à risca
à roda (de)
à saciedade (= até mais não poder)
à semelhança de
à socapa (= disfarçadamente)

à solta
à sorrelfa (= furtivamente)
à sorte
à tarde
à toa
à toda
à tona
à traição
à tripa forra (= à larga, em grande quantidade)
à última hora
à uma (= unanimemente, conjuntamente)
à unha
à vaca fria
à ventura (= ao acaso)
à vista (de)
à viva força
à volta de
à vontade
às apalpadelas
às avessas
às boas
às carreiras
às cegas
às claras
às direitas
às escondidas
às furtadelas
às moscas
às ocultas
às ordens
às tontas
às turras
às vezes (= por vezes, algumas vezes; não confunda com "fazer as vezes de", que significa "desempenhar as funções de ")

ALGUMAS DICAS PARA ACENTUAR CORRETAMENTE O A

Quando se trata de nomes próprios de lugar, é indispensável verificar *se o nome é feminino* e se é usado com o artigo *a*, pois somente neste caso é possível ocorrer a crase com a preposição anterior.

Assim, usam-se *com artigo* os nomes dos continentes e da maioria dos países; alguns estados do Brasil; nomes de ilhas, alguns nomes de bairros:
a América, *a* Europa, *a* África, *a* Ásia, *a* Oceânia, *a* Antártida, *a* Austrália, *a* Espanha, *a* França, *a* Alemanha, *a* Inglaterra, *a* Itália, *a* Rússia, *a* Suécia, *a* Dinamarca, *a* Noruega, *a* Argentina, *a* Colômbia, *a* Venezuela, *a* Nicarágua, *a* Guatemala, *as* Guianas, *as* Antilhas, *as* Filipinas, *a* China, *a* Índia, *a* Arábia, *a* Etiópia, *a* Guiné, *a* Líbia, *a* África do Sul, *a* Paraíba, *a* Bahia, *as* Malvinas, *a* Groenlândia, *a* Sardenha, *a* Sicília, *a* Córsega; *a* Gávea, *a* Penha, *a* Tijuca.

Sem artigo, alguns nomes de países, nomes de estados e cidades, alguns nomes de bairros:
Angola, Andorra, Malta, Honduras, Cuba, Costa Rica, Lisboa, Madri, Barcelona, Paris, Roma, Atenas, Haia; Alagoas, Minas Gerais, Sergipe, Santa Catarina, Roraima; Manaus, Fortaleza, Vitória, Curitiba, Florianópolis, Brasília; Copacabana, Ipanema.

Na prática, se você tiver dúvida, faça outra frase com o mesmo nome, usando uma das preposições *de, em, por, para*. Se, na frase, aparecerem apenas as preposições, é sinal de que o nome em causa não admite o artigo *a*, e portanto não haverá crase; se, ao contrário, surgirem as combinações ou contrações *da, das, na, nas, pela, pelas, para a, para as*, fica evidente que haverá crase, e portanto o *a* se acentua.

Alguns exemplos mostram que a nossa dica funciona. Imaginemos que sua dúvida está em completar com *a* ou *à* a frase:

Quem em boca vai ... Roma.
Usando-se a preposição *para* teríamos:
"Quem tem boca vai PARA Roma."
Com outras preposições:
"Veio DE Roma.", "Esteve EM Roma."

Tudo prova que *Roma* não se usa com o artigo *a*; logo, a frase corretamente escrita será:
"Quem tem boca vai *a* Roma."
O *a*, como preposição, não leva acento.

Outro exemplo:

"O Presidente voltou ... Brasília." (*a* ou *à*?)
Usando-se outras preposições:
"O Presidente voltou PARA Brasília."
"O Presidente viajou ontem DE Brasília para o Rio."

Como se vê, só ocorrem as preposições simples, sinal de que o nome *Brasília* não vem precedido do artigo *a*. A frase correta será, portanto:

"O Presidente voltou *a* Brasília."

Mais exemplos:

"O Papa regressou *à* Itália." (Compare: "Regressou *para a* Itália.", com preposição e artigo.)
"Chegaremos amanhã *à* Espanha." (Compare: "Chegou ontem *da* Espanha.", também com preposição e artigo.

Tenha sempre em vista, portanto, estas correspondências:

a corresponde a DE, EM, PARA, POR; *à* (ou *às*) corresponde a DA, DAS, NA, NAS, PARA A, PARA AS, PELA, PELAS.

Cumpre lembrar, por fim, que os mesmos nomes de lugar que não admitem artigo quando desacompanhados de adjuntos, passam a exigi-lo quando vêm seguidos de um adjunto limitador, especificativo:

a Roma *dos Césares*;
a Paris *da Resistência*;
a Brasília *de Juscelino*.

Nesse caso, quando precedidos da preposição *a*, dá-se a crase:

"Prestou homenagem À Paris da Resistência."
"Dedicava-se, nos seus estudos, À Roma dos Césares."
"Aludia com simpatia À Brasília de Juscelino."

Esse processo de substituição do *a* por outras preposições é, aliás, o melhor indicador da existência ou não de crase:
Com a palavra *casa*, por exemplo, na acepção de "lar", "morada", é fácil verificar a ausência do artigo *a*:

"Saí *de* casa cedo.", "Ontem não dormi *em* casa.", "Volte logo *para* casa."

É por isso que não se acentua o *a* em frases como:

"De regresso *a* casa, o filho pródigo foi recebido em festa."
"Voltou *a* casa para apanhar os documentos do carro."

Mesmo na acepção de "lar", porém, a palavra *casa*, quando seguida de um adjunto de posse, vem precedida de artigo *a*:

"Fez uma visita sentimental À *casa paterna*."
(Compare: "Voltou comovido DA casa paterna.")

"Vou À *casa de João*."
(Compare: "Veio DA casa de João.")

Caso semelhante ocorre com a palavra *terra*: na maioria das suas acepções, usa-se com o artigo *a*, que se craseia com a preposição *a*:

"Voltou *à* terra onde nascera.";
"O agricultor tem apego *à* terra.";
"do céu *à* terra".

Quando, porém, se opõe a *bordo* não admite artigo, nem crase:

"Logo que o navio aportou, os marinheiros desceram A terra."
(Compare: "Estiveram *em* terra poucas horas.")

Depois desta enxurrada de exemplos, você estará pronto a submeter-se a um ditado, do qual, sem dúvida, não sairá humilhado...

FALE (E ESCREVA) CORRETAMENTE AS PALAVRAS

10. EVITANDO DEFORMAÇÕES

São comuns, principalmente entre as pessoas menos instruídas, deformações de vária natureza, devidas ora a falsas aproximações com outras palavras ou com elementos formadores, ora a simplificações inadequadas a termos eruditos, ora a certas tendências da própria língua, ora ainda a outros fatores. Assim, para exemplificar, alguns escrevem *advinhar* em vez do correto *adivinhar* por acharem, numa ultracorreção, que esse *i* teria sido um acréscimo indevido para desfazer o grupo *dv* (que aí não existe!), como em *advogado*, quando na verdade o radical da palavra é *-divinh-* (variante de *-divin-*, que se encontra em *divino*). Também escrevem incorretamente *previlégio*, em lugar do correto *privilégio*, julgando que se trata do prefixo *pre-*, que aí não aparece.

Para evitar que você cometa deformações desse tipo, e outras mais, percorra a relação a seguir, procurando gravar a forma certa, para a qual chamo a atenção com o destaque em outro tipo, buscando mostrar, quando cabível, a sua formação, o que a justifica. O quanto possível, evito escrever formas erradas.

A correta pronúncia dos fonemas recebe o nome de ORTOEPIA (em grego *orthoepeia*, de *orthos*, "direito", "correto", e *epos*, "palavra", mais sufixo), palavra que também possui a forma ORTOÉ-PIA, menos consentânea com a sua origem, já que ao ditongo *ei* corresponde um *i* longo.

abóbada, com *a* e não *o* na penúltima sílaba.
advocacia, com *c*, e não *g*, por ser palavra de origem culta.
advogado, sem *e* entre o *d* e o *v*.
adivinhar: o radical é *-divinh-*.
aforismo, com *-o* final, embora muitas palavras de origem grega terminem em *-a*.
antediluviano: o prefixo é *ante-* que indica anterioridade, e não *anti-*, que exprime oposição.
aeroplano: o 1.º radical é *-aer-*, que quer dizer "ar".
*baba*douro e *bebe*douro têm o sufixo *-douro*, que indica o "lugar" (onde se baba ou bebe), e não *-dor*, que indica o "agente".
beneficente se escreve sem *i* depois do *c* (e também *beneficência*).
bicarbonato: observe o radical *-carbon-*, evitando uma inversão indevida das suas letras.
bugiganga não tem *n* depois do *i*.
cabeleireiro é formado de *cabeleira*, por isso conserva o *i* destacado.
caramanchão se escreve com um só *r*.
caderneta é formada de *caderno*; daí a posição do *r*.
calidoscópio é melhor forma do que *caleidoscópio*, pois o ditongo grego *ei* se reduz normalmente a *i*.
cataclismo é mais uma palavra de origem grega terminada em *o*.
caranguejo não tem *i* antes do *j*.
cócoras tem *o* na 2.ª sílaba.
coradouro, com o sufixo *-douro*, é o lugar onde se põe a roupa a corar. As formas *quarador* e *quaradouro* são populares.
dentifrício se compõe dos radicais *dent*(i) e *-fríc-*, o mesmo de *fricção*, *friccionar*. Atente na posição do *r*.
descortino não tem *i* antes do *o* final.
disenteria é formada com o prefixo *dis-* ("mau funcionamento") e o radical *-enter-* ("intestinos").
dignitário tem *i* depois do *n*, e não *a*.
entretela se forma de *entre-+tela*. Não inverta a posição do *r*.
espocar não tem *u* depois do *o*.

exprobrar deve manter o 2.º *r* do étimo latino, embora haja tendência de suprimi-lo.
figadal tem o radical de *fígado*.
fratricídio conserva o grupo *tr* do seu étimo latino.
frustrar deve escrever-se com *r* depois do *t*.
Galiza é a forma portuguesa para a região da Espanha onde se fala o galego. (Em castelhano é *Galicia*.)
hilaridade não tem *e* depois do 2.º *i* (destacado).
infligir ("impor") não deve confundir-se com *infringir* ("transgredir").
inteligível conserva o *i* da origem latina.
irascível é aquele que é propenso à *ira*: tem um só *r*.
lagartixa, derivado de *lagarto*, tem o *r* antes do *t*.
legiferar, ao contrário do seu sinônimo *legislar*, não tem *s* após o *i*.
manteigueira deriva de *manteiga* e conserva o *i* da 2ª sílaba.
meritíssimo conserva o 1.º *i* da forma latina.
meteorologia é derivado de *meteoro*, e deve conservar a sequência *-oro-*.
mortadela, empréstimo do italiano, não tem *n* depois do *a*.
muçulmano tem o *l* depois do 2.º *u*.
opróbrio tem dois *rr*.
pantomima, com *m* na sílaba final, tem o mesmo radical de *mímica*.
paralelepípedo, do latim *parallelepipedu*, conserva a sílaba *le* dobrada.
percalço, "transtorno", "estorvo", tem a sequência *er* na 1.ª sílaba.
perscrutar conserva a sequência *er* na 1.ª sílaba, do prefixo latino *per-*. O radical *-scrut-* é o mesmo de *escrutínio*.
prazeroso, derivado de *prazer*, não tem *i* na 2.ª sílaba.
presságio, com dois *ss*, para indicar a pronúncia correta.
problema, tem *r* na 1.ª sílaba.
próprio conserva o *r* também na 2.ª sílaba.
protagonista: o *a* da 2.ª sílaba provém do radical *-agon-*.
prostrar tem *r* depois do *t*.
reivindicação provém do latim *rei vindicatione*, "reclamação da coisa".
salsicha tem *s*, e não *ch*, na 2.ª sílaba.
suadouro tem o sufixo *-douro*, e não *-dor*.

verossímil (e *verossimilhança, verossimilhante*), com *ss* para indicar a pronúncia aconselhável.

xifópago forma-se com os radicais de origem grega *xifo-*, "apêndice xifoide", e *-pago*, "unido", "ligado".

11. EVITANDO SILABADAS: SAIBA QUAL A SÍLABA TÔNICA

Parece exagero dizer da sílaba tônica que é a alma da palavra. Mas se observarmos a evolução de uma palavra do latim falado para o português, a verificação se impõe: por maiores que sejam as alterações fonéticas sofridas, mantém-se a sílaba tônica. Veja alguns exemplos:

O tratamento medieval latino *vostra mercede* (pronunciado como se fosse uma só palavra, *vostramercede*) sofreu na boca do povo, através dos tempos, uma série de transformações: *vossa mercê, vossemecê, vosmecê* até reduzir-se a *você* (e mesmo a *cê*, na fala apressada e vulgar, em frases como "— Cê sabia?", "— Cê é bobo!"). Com todas essas modificações, persistiu a sílaba tônica *ce*!

Incredulu perdeu o *d* e o *l*, porém manteve a sílaba tônica na resultante *incréu*, hoje menos usada que a forma culta *incrédulo*.

Córrego reduz-se, na fala popular, a cor*go*, tal como *música* a mus*ga* e *cócega* a cos*ca* (donde *cosquinha*), sempre mantendo a mesma sílaba forte.

Já em palavras entradas em português por via escrita (V. o capítulo "Nossa herança latina"), como em latim não se usavam os nossos acentos, por vezes houve deslocamento da tônica. Alguns exemplos:

l*imite*, proparoxítono em latim (sílaba tônica *li*), tornou-se paroxítono: l*imite*. (O mesmo latim l*imite*, por via normal, falada, produziu lin*de*, com o mesmo sentido de "limite", como você poderá ver num dicionário etimológico, conservando, neste caso, a sílaba tônica.);

oce*anu*, também proparoxítona em latim, deu-nos *oceano*, por via escrita culta, com mudança da sílaba tônica;

pân*tano* teve deslocada a sílaba tônica, pois no latim medieval era vocábulo paroxítono, *pantanum*.

São muitos os exemplos, mas estes nos bastam por ora.

O que mais importa, porém, é ensinar-lhe a pronúncia certa de numerosos vocábulos, na sua maioria eruditos, para que você, ao falar e ao escrever, não incorra numa SILABADA (nome que se dá ao erro de prosódia que consiste em deslocar o acento tônico de uma sílaba para outra). A lista que dou a seguir contém várias palavras de uso em geral restrito à língua escrita culta: mas quem sabe se um dia você não vai precisar utilizar alguma delas?...

[Como nem todas as palavras recebem acento gráfico, a sílaba tônica vem destacada; nos termos de uso erudito, consigno o significado — uma forma de enriquecer o seu vocabulário.]

abside: "recinto em forma de abóbada, de planta circular ou poligonal"; "a cabeceira do templo onde fica o altar-mor, nas basílicas cristãs"; "oratório reservado, por trás do altar-mor".
á*dvena*: "que vem de fora", "forasteiro".
aerólito: "corpo metálico ou rochoso que, vindo do espaço, cai na superfície da Terra"; o mesmo que *meteorito*.
aeródromo: "campo de aviação" [As palavras terminadas em *-dromo* (radical de origem grega que significa "corrida", "lugar para corridas") são proparoxítonas: *autódromo, cartódromo, hipódromo*.]
aeróstato: "balão ou dirigível mais leve que o ar" [Deveriam ser proparoxítonas as palavras terminadas em *stato*, radical de origem grega que significa "parado", "estacionário"; mas o uso vem tornando algumas paroxítonas, como é o caso do *reostato* (v. adiante), termo usado em eletricidade para designar o aparelho que permite variar a tensão elétrica.]
alanos: nome de um povo antigo que no século V invadiu a Península Ibérica.
alcíone: ave fabulosa, entre os antigos.
algaravia: "linguagem confusa", "coisa difícil de perceber".
algarvio: "do Algarve (Portugal)."
á*libi*: "prova que o réu apresenta de que estava em lugar diferente daquele em que se deu o crime ou o delito".
a*málgama*: "liga usada pelos dentistas para obturações"; "mistura de elementos que formam um todo".
ambrosia: "manjar dos deuses"; "doce feito com ovos e leite".
ambrósia: "gênero de plantas".

ânodo: "elétrodo positivo" [Tal como *cátodo* e *elétrodo*, é correntemente pronunciado pelos usuários, sobretudo os químicos, como paroxítono: *anodo*.)
Andronico (Lívio Andronico foi um dos primeiros escritores de língua latina.)
Antioquia: cidade da Turquia.
aríete: "antiga máquina de guerra".
arquétipo: "tipo ideal", "modelo", "padrão".
autópsia (Etimologicamente deveria ser *autop*sia, prosódia não usada. Outros dois vocábulos terminados em *opsia* (-*ops*- é radical de origem grega que significa "visão") são *biop*sia, geralmente pronunciado *biópsia*, e *necrop*sia.)
azáfama: "muita pressa"; "trabalho muito ativo". A prosódia *azafama* está generalizando-se.
aziago: "azarento", "agourento".
azimute (termo de Astronomia).
Bálcãs: montes e península do sul da Europa.
ban*to*: raça de negros sul-africanos. A grafia *bantu*, que pressupõe a prosódia oxítona, ainda hoje é usada por alguns autores.
barbaria ou *barbárie*: "ato próprio de bárbaros".
bororo: "indivíduo dos bororos, tribo indígena de Mato Grosso". Ainda persiste igualmente a prosódia *bororó*.
caracteres. Neste plural mantém-se o *c*, pouco usual no singular *caráter*.
cateter: "sonda cirúrgica".
ciclope: gigante mitológico de um só olho na testa.
crisântemo. (É mais comum a pronúncia *crisantemo*.)
Dario. Embora etimologicamente a sílaba tônica seja a segunda, ocorre também a variante *Dário*.
desvario. A variante *desvairo* está em desuso.
Éfeso: cidade da antiga Jônia, no mar Egeu, habitada por imigrantes gregos. Nela S. Paulo fundou uma igreja cristã.
Epifania: o Dia de Reis. *Epifânia* é nome de pessoa.
Epiro: região da Grécia.
Érato: musa da elegia ("poema terno e triste"), representada com uma lira.
Ésquilo: poeta grego.
estampido: "estouro", "explosão".
êxodo: "saída". *Êxodo* (com maiúscula) é o livro da Bíblia onde se narra a fuga dos hebreus do Egito.
êxul: "exilado", "desterrado".

*fila*ntropo: "humanitário". Como todos os nomes terminados em -*antropo* (radical grego que significa "homem"), é vocábulo paroxítono: *lica*ntropo, "lobisomem"; *misa*ntropo, "que tem aversão à vida em sociedade"; *piteca*ntropo, "homem-macaco", etc.
flui*do* (substantivo): é dissílabo paroxítono; rima com cui*do*; compare com *fluído*, particípio do verbo *fluir*.
*for*tuito: "que acontece por acaso".
*gár*rulo: "palrador", "tagarela".
*Gibral*tar: praça-forte no extremo sul da Espanha e estreito entre a Espanha e a África.
*grá*cil: "delicado", "fino", "delgado". (Não é da mesma família de *graça, gracioso*!)
*gra*tuito: é trissílabo paroxítono.
*ha*rém: rima com *alguém*.
*hie*róglifo: na linguagem corrente é paroxítono: *hie*roglifo.
*homi*lia: "pregação em estilo familiar sobre o Evangelho". Também se admite a pronúncia *homí*lia.
*homi*zio: "ato de esconder(-se) da justiça"; "esconderijo".
*ho*róscopo.
*í*bero. Também paroxítono é *celtí*bero.
*impu*dico: "sem pudor".
*inau*dito: "que nunca se ouviu dizer"; "extraordinário".
*ín*terim. Usado na expressão *neste ínterim* ("neste meio tempo", "entrementes").
*juni*ores, plural de *júnior*. A sílaba tônica é *o*.
*lê*vedo: "fermento". No Brasil a pronúncia corrente é *le*vedo.
*Madagas*car. Ilha do Oceano Índico, na África, hoje República Malgaxe. Não se justifica a pronúncia como paroxítono.
*mis*ter: "ofício", "profissão", "incumbência", "necessidade". Usa-se mais na expressão *é mister*, "é indispensável". Nada tem que ver com o inglês *mister*, "senhor" (forma de tratamento).
*necrop*sia: "exame das várias partes de um cadáver". V. também *autópsia*.
*maquina*ria. Esta é a prosódia registrada no vocabulário oficial; mas a pronúncia usual no Brasil é *maquinária*.
*mobilia*ria. Prosódia registrada no vocabulário oficial. A pronúncia corrente, contudo, é *mobiliária* (também registrada no VOLP), tal como *imobiliária*).
*necroman*cia: "adivinhação pela invocação dos mortos". Variante: *nigromancia*.

nefelíbata: "que vive nas nuvens". A grafia *nefelibata* também está registrada no *VOLP*.
negus: "antigo soberano da Etiópia".
Nobel. Não se justifica a pronúncia como paroxítono.
novel: "novo"; "inexperiente".
Oceânia. É mais usada a variante *Oceania*.
ômega: "última letra do alfabeto grego". A prosódia *omega* é menos recomendável, embora essa grafia esteja registrada no *VOLP*.
*ortoe*pia: "pronúncia correta dos fonemas". A variante *ortoépia*, embora em desacordo com a etimologia, também é usada.
pegada: "marca dos pés".
perito. Não tem qualquer justificativa a pronúncia como proparoxítono.
pletora: "superabundância", "exuberância".
pólipo. Também se ouve a pronúncia *polipo* (registrada no *VOLP*), contrária embora à etimologia.
prístino: "antigo", "primitivo".
prógnato: "que tem a mandíbula proeminente". Embora seja esta a forma etimológica, a usual é *prognato*.
protótipo: "tipo exemplar", "modelo".
*pu*dico: "cheio de pudor".
*qua*drúmano: "que tem quatro mãos". A variante *quadrímano* é de uso restrito à Zoologia ("que tem quatro tarsos dilatados em forma de mão").
*Quebran*gulo: cidade de Alagoas onde nasceu Graciliano Ramos.
Quéops: nome de um rei do antigo Egito e da pirâmide que mandou construir.
*quiroman*cia: "adivinhação pelo exame das linhas das mãos".
recém-. Elemento usado em compostos como *recém-chegado*, *recém-nascido*.
recorde. (Adaptação do inglês *record*.) A forma *récorde* é a que se ouve nos meios esportivos.
*re*fém.
*re*frega. "peleja", "luta".
reóstato. É mais comum a pronúncia *reostato* (registrada no *VOLP*). V. *aeróstato*.
revérbero: "resplendor", "reflexo".
rubrica: "assinatura abreviada".
*ru*im. É vocábulo dissílabo oxítono, reduzido às vezes, na pronúncia popular, a monossílabo, proferido *rūi*.

Salonica ou *Tessalonica*: cidade e porto da Grécia.
Samaria: região da antiga Palestina no tempo de Jesus Cristo.
senatoria. Embora seja esta a forma registrada no vocabulário oficial, a pronúncia corrente é *senatória*.
Sófia: capital da Bulgária. *Sofia* é nome de mulher.
Talia: musa da comédia.
têxtil. (Além de paroxítono, este nome tem o *e* tônico fechado.)
transido: "trespassado".
transistor. A forma oxítona (plural *transistores*) é o aportuguesamento normal do inglês. Mais comumente, contudo, se ouve *transístor* (registrada no *VOLP*).
ureter: "cada um dos dois canais que conduzem a urina dos rins à bexiga". A prosódia *uréter* não é aconselhável.
xerox. A forma oxítona é o aportuguesamento normal do inglês, que é vocábulo paroxítono, mas de pronúncia bem diversa (aproximadamente *zírocs*). A prosódia *xérox*, que também se ouve e tem registro no *VOLP*, é algo afetada.
zênite: "o ponto mais elevado", "apogeu".

PONTUANDO...

12. A LÍNGUA ESCRITA E A MELODIA DA FRASE: OS SINAIS DE PONTUAÇÃO

— Ninguém pode escrever como fala — afirmam os linguistas.
— Por que não?! — contesta João da Silva, admirado. Garanto que o mais humilde (e pouco instruído) operário, ao pegar do lápis ou da caneta para redigir um recado ou uma carta de amor, sente pruridos de escritor...
E posso enumerar uma série de motivos:

1. Em primeiro lugar, na língua falada as palavras são formadas de fonemas — para os ouvidos; na língua escrita, de letras — para os olhos.

2. Na língua falada — salvo em casos excepcionais —, os interlocutores estão presentes, e alternam-se nos papéis de falante e ouvinte, como geralmente acontece durante uma conversa, um bate-papo; na língua escrita, escritor e leitor não estão em presença um do outro, e não pode haver diálogo.

3. Na língua falada, além das palavras — elementos sonoros — atua também uma série de elementos suplementares: a expressão do rosto, os gestos, a mímica, a acentuação expressiva de certas sílabas, a entoação ou melodia da frase, as pausas...

Desde as primeiras tentativas de transpor a linguagem falada para a escrita, tem sido uma permanente batalha a transcrição da "entoação frasal", com suas pausas e suas inflexões expressivas.

Os sinais gráficos para isso usados foram sendo introduzidos aos poucos, e só no século XIX a chamada PONTUAÇÃO chegou a uma sistematização semelhante à de hoje.

Na tentativa de reproduzir toda a expressividade da língua falada, os escritores modernos procuram aproveitar não apenas os sinais de pontuação, mas ainda os recursos que a tipografia oferece. Daí a utilização — ao lado das aspas simples e duplas, travessões, parênteses, reticências (?!, !..., !?...) — e toda uma gama e tipos variados: o *grifo* ou *itálico*, o **negrito**, as MAIÚSCULAS e os VERSALETES.

Mas são ainda muito limitados, quanto à transposição da melodia da frase, todos esses recursos: a língua falada continua sendo mais rica e flexível do que a língua escrita...

Uma simples palavra-frase, como "— Você.", pode conter uma série de mensagens diferentes, conforme a situação em que for proferida, com todas as variações proporcionadas pela entoação, auxiliada pela expressão facial, gestos, mímica.

A língua escrita, de qualquer forma, com os recursos que lhe são próprios, obtém pelo menos estas variações: — Você. (Que pode ser a simples resposta objetiva, neutra, a vários tipos de perguntas, como p. ex.: "— Quem vai na frente?")
— Você?
— Você?!
— Você!
— Você!...
— Você...

E agora *você* pode imaginar as variadas situações em que essa palavra foi proferida e a entoação que acompanhou cada frase...

Conforme a sua finalidade, pode-se fazer a seguinte divisão dos sinais de pontuação:

1. Sinais — mais objetivos — que procuram, antes de mais nada, indicar corretamente as pausas: a vírgula, o ponto e vírgula, os dois-pontos e o ponto.

2. Sinais — muitas vezes subjetivos — que sugerem a entoação que o escritor quis dar à frase: o ponto de interrogação, o ponto de exclamação e as reticências.

Há outros sinais, de aplicação convencional, como os parênteses, os colchetes, o travessão, as aspas.

Não é inútil observar que os sinais indicam SIMULTANEAMENTE as pausas, o tom e as cadências que dão musicalidade às frases; e que *pode haver pausas que não se costumam assinalar na escrita*.

Vejamos, um por um, os principais sinais de pontuação e suas normas de uso.

A VÍRGULA

A vírgula assinala uma pausa ligeira, com o tom de voz em suspenso, ou nitidamente ascendente, a indicar a incompletação do que se enuncia: nossa mente está sempre esperando alguma coisa mais além dela.

É assim que se emprega a vírgula:

1. Para separar *a*) termos e *b*) orações em sequência, coordenados, ainda que venham ligados por conjunções, quando repetidas:

a) "O céu, a terra, o vento sossegado..." (Camões)
"Os dias passavam, e as águas, e os versos, e com eles também ia passando a vida da mulher." (M. de Assis)
"Não amava bailes, nem passeios, nem janelas." (Idem)
"Possuía lavouras de trigo, linho *e* arroz." (Érico Veríssimo)
(A presença da conjunção *e* antes do último termo dispensa a vírgula.)

b) "Agarrou-me, abraçou-me violentamente, molhou-me de lágrimas." (Graciliano Ramos)
"Um dia saí aos tombos, esbarrei com um esteio *e* ganhei um calombo na testa." (Idem). (No último exemplo, não se usou vírgula antes da última oração (*e* ganhei...), já que está presente a conjunção *e*.)

2. Para isolar termos meramente explicativos, entre eles o aposto:

"Sete anos de pastor Jacó servia / Labão, pai de Raquel, serrana bela." (Camões)
"Camilo, maravilhado, fez um gesto afirmativo." (M. de Assis)
"As estrelas, grandes olhos curiosos, espreitavam através da folhagem." (Eça de Queirós)
"A cria, miúda, certamente ficara para trás." (Gr. Ramos)

Se o aposto for enumerativo, em lugar de vírgula se usam dois-pontos:
"Para um homem se ver a si mesmo são necessárias três cousas: olhos, espelho e luz." (Pe. Antônio Vieira)

3. Isola o vocativo:
"Meninos, eu vi!" (Gonçalves Dias)
"Verdade isso, vovó?" (Monteiro Lobato)
Observe que nos vocativos que iniciam as cartas (*Caro amigo*) pode-se usar indiferentemente a vírgula, os dois-pontos — mais aconselhável — ou mesmo o ponto; e, às vezes, nenhuma pontuação.

4. Separa os termos e orações de valor adverbial, especialmente quando deslocados de sua posição habitual (que seria depois do verbo que modificam); dispensa-se, porém, quando o termo é de pequena proporção. Há muita variação entre os escritores:
"O Presidente, com sua comitiva, embarcará para o Uruguai, amanhã, no Boeing presidencial."
Variante: "Amanhã o Presidente embarcará com sua comitiva para o Uruguai, no Boeing presidencial."
"No seu quarto, deitado de costas, dentro de uma tenda de oxigênio, Tibério, num sonho induzido por sedativos, anda perdido por uma campina imensa." (É. Veríssimo)
"Aos treze, Jacinta mandava na casa; aos dezessete, era verdadeira dona." (M. de Assis)
"Depois, repreendeu-a." (Idem)
"Depois fez um gesto incrédulo." (Idem)
Os exemplos poderiam multiplicar-se, muito mais frequentes com a vírgula, que se usará sempre que se deseje realce.
Repare que, em muitos casos, pela ausência de pausa, não se deve usar a vírgula, o que prejudicaria a leitura correta e o sentido:

Os brasileiros, *sobretudo* os do Norte, costumam ser *extremamente* hospitaleiros.

5. Há uma série de palavras e expressões de natureza explicativa, continuativa, conclusiva, ou enfáticas de um modo geral, que costumam separar-se por vírgula (ou vírgulas, se intercaladas). Eis algumas delas: *além disso, aliás, a saber, assim, bem, com efeito, como dizer, demais, depois, em suma, enfim, então, isto é, não, no mais, ora, ou melhor, ou seja, outrossim, pensando bem, pois bem, por assim dizer, por exemplo, realmente, sim*, etc. Veja alguns exemplos:
Enfim, avó./ Em suma, baile chinfrim./ Sim, um dia hei de morrer./ Elas, aliás, não gostavam de sair de carro./ Com efeito, a carta foi datada de 26 de março./ Pois sim, deixe estar./ Bem, o magistrado acabou, vamos embora.

6. Separa os nomes de lugar, nas datas:
Rio de Janeiro, 15 de novembro de 1985.

7. Apesar das opiniões em contrário, usa-se vírgula antes da abreviatura *etc*. Basta consultar as "Instruções" oficiais, aprovadas por lei: em mais de 100 vezes aí se vê essa partícula precedida de vírgula. O *etc*. inclui a conjunção *e*, o que faz alguns gramáticos considerarem a vírgula desnecessária (como se vê em 1 a) e b), embora a regra não impeça seu uso antes da conjunção, e nem mesmo o de ponto e vírgula.
Mas o ponto e vírgula, de uso mais difícil, fica para o próximo capítulo.

13. AS CADÊNCIAS, O PONTO E VÍRGULA E OS DOIS-PONTOS

Você já sabe que, ao falarmos, subidas e descidas da voz marcam a entoação ou melodia da frase. As subidas — nas pausas de tom de voz ascendente-se representam na escrita, a maior parte das vezes, pela vírgula, e indicam que o sentido está em suspenso até ocorrer uma descida maior ou menor do tom: é a vez do ponto, ou dos dois-pontos, ou do ponto e vírgula. Observe este trecho do conto "A cartomante", de Machado de Assis:

"Depois fez um gesto incrédulo: era a ideia de ouvir a cartomante, que lhe passava ao longe, muito longe, com vastas asas cinzentas; desapareceu, reapareceu, e tornou a esvair-se no cérebro; mas daí a pouco moveu outra vez as asas, mais perto, fazendo uns giros concêntricos... "[As reticências, no fim de um período, também indicam tom descendente, depois de leve subida.]

A sucessão de tons ascendentes e descendentes está devidamente marcada pelas vírgulas, pelos pontos e vírgulas e pelos dois-pontos.

O emprego do ponto e vírgula varia bastante de autor para autor. Podem-se, contudo, estabelecer algumas normas:

1. Separa os membros de um período mais ou menos longo, especialmente se pelo menos um deles estiver subdividido por vírgula(s):

"Entrei apressado; achei Virgília ansiosa, mau humor, fronte nublada." (M. de Assis).

"No fim de três meses estava farto de o aturar; determinei vir embora; só esperei ocasião." (Idem)

"A disciplina de uma tropa é rigorosa; para dirigi-la é necessária uma soma de previsão, de cuidados; uma prática e uma energia de que só podem fazer ideia justa os capitães das expedições." (Afonso Arinos)

2. Separa os vários membros de uma enumeração descritiva ou narrativa:

"Os feriados daquele tempo eram poucos e bons. O 1.º de janeiro, para se festejar a fraternidade universal, que não se sabia bem o que fosse, mas, no alvoroço de começar o ano, significava boa disposição geral; 21 de abril, que nos ensinava a morrer pela liberdade; /.../ 14 de julho, viva a queda da Bastilha; íamos sossegados até 7 de setembro, quando nos transportávamos ao Ipiranga e, com Pedro I e Pedro Américo, sacudíamos o jugo lusitano; /.../ detínhamo-nos a reverenciar os mortos em 2 de novembro, logo depois era forçoso proclamar a república, e, ainda bem não era proclamada, escolher-lhe uma bandeira, tudo isso num mês excepcionalmente rico: três feriados!" (Carlos Drummond de Andrade).

3. Separa as orações chamadas ADVERSATIVAS (com as conjunções *mas, porém, contudo, todavia, entretanto*); observe que, a não ser *mas*, essas conjunções de preferência vêm pospostas:

"Se fosse só rabugento, vá; *mas* ele era também mau, deleitava-se com a dor e humilhação dos outros." (M. de Assis)
"Crê em ti; *mas* nem sempre duvides dos outros." (Idem)
"Achou que a minha candidatura era legítima; convinha, *porém*, esperar alguns meses." (Idem)
"Não me peça também o império do Grão-Mogol, nem a fotografia dos Macabeus; peça, *porém*, os meus sapatos de defunto e não os dou a ninguém mais." (Idem)
"Nas janelas e ruas estavam muitos dos seus credores; dois, *entretanto*, na esquina do beco das Cancelas, perguntaram um ao outro se não era tempo de recorrer à justiça." (Idem)

"Determinou recolhê-lo imediatamente à Casa Verde; deu-lhe, *todavia*, um dos melhores cubículos." (Idem)
"Era talvez sobreposse a variedade dos adornos; *contudo*, a pessoa que os escolhera devia ter gosto apurado." (Idem)

É de notar que, mesmo estando subentendida uma conjunção adversativa, a oração separa-se por ponto e vírgula:

"Eu ainda fiquei espiando, a ver se ele voltava; não vi ninguém." (Idem)
"Há muitos modos de afirmar; há um só de negar tudo." (Idem)

4. Separa as orações chamadas CONCLUSIVAS (com as conjunções *logo, pois, então, portanto, por isso*, etc.); e também subentendendo-se a conjunção:

"As doses eram diárias e diminutas; tinham, *portanto*, de aguardar um longo prazo antes de produzir o efeito." (Idem)
"Só um milagre podia salvá-la; determinou vir aqui." (Idem)
"Tinha a pedra na mão, mas já não era necessária; jogou-a fora." (C. Drummond de Andrade).

Já os dois-pontos assinalam uma pausa suspensiva da voz, bem mais forte que a da vírgula, e em geral de entoação descendente; indicam, o mais das vezes, que a frase não está concluída. Servem, mais frequentemente, para:

1. Anunciar a entrada de um interlocutor:
"Jacobina refletiu um instante, e respondeu:
— Pensando bem, talvez o senhor tenha razão." (M. de Assis)

2. Anunciar uma enumeração mais ou menos extensa:
"Naquela noite de lua cheia estavam acocorados os vizinhos na sala pequena de Alexandre: seu Libório, cantador de emboladas, o cego preto Firmino e mestre

Gaudêncio curandeiro, que rezava contra mordedura de cobras." (Graciliano Ramos).

3. Anunciar uma citação:
"Foi Bismarck quem definiu: 'A Política é a arte do possível.'"

4. Anunciar um aposto, uma conclusão, uma explicação, um esclarecimento:
"E daí veio uma ideia: comparou a vida a um cavalo xucro ou manhoso." (M. de Assis)
"Contudo uma sombra às vezes nos toldava a alegria: a recordação do vigário." (Graciliano Ramos)

5. Substituir a vírgula na separação das orações EXPLICATIVAS e CAUSAIS, com a vantagem de dispensar a conjunção, em muitos casos:
"— Podemos entender isso? — Não: é um mistério."
[Subentende-se, depois de *Não*, uma conjunção como *pois, porque*.] Igualmente quando se subentende *mas*:
"A morte não extingue: transforma; não aniquila: renova; não divorcia: aproxima." (Rui Barbosa)

O VERBO — ALMA DA FRASE

14. "NO PRINCÍPIO ERA O VERBO"

João da Silva estranhava, sempre que o relia, o início do Evangelho do seu homônimo São João: "No princípio era o Verbo".
"— Por que o verbo? — perguntava a si mesmo. Que tem o verbo de tão importante assim?..."
É que João ignorava que, em latim, *verbum* (de que provém o nosso *verbo*) significa, antes de mais nada, "palavra", significação que, aliás, também existe em português. Lá está no *Aulete*: "*Verbo. sm.* **4.** Palavra, linguagem, discurso." E na acepção 1, com indicação *Gram.*, que quer dizer "termo de Gramática", e que também já existia no latim, define: "Classe de palavra que expressa ação, estado ou mudança de estado." E na acepção 2: Em determinadas línguas com características flexionais e aglutinantes, palavra que pertence a um paradigma de formas flexionadas que expressam, neste caso, *tempo* e *modo*, *pessoa* e *número*, e tb. *voz* e *aspecto*.
Assim, aquele versículo do Evangelho de São João faz referência a Jesus Cristo, que "existia desde o princípio" e que viria ao mundo expor sua doutrina por meio da "palavra", *verbalmente*.
É o VERBO, sem dúvida, a palavra por excelência, uma vez que indica o que se passa nas coisas, dinamicamente: "*O voo do

pássaro *era* lindo." não nos transmite com a mesma vivacidade o que sentimos na frase "O pássaro *voava* lindamente.", pois o nome representa os seres no espaço, estaticamente, e o verbo já os apresenta no tempo, dinamicamente. Ou, usando o próprio verbo pelo substantivo, como fazem excelentes escritores: "O *voar* do pássaro era lindo."

Pode-se afirmar que o verbo é a alma da frase, embora às vezes ocorram frases aparentemente sem verbo, que, todavia, está subentendido, e nem por isso menos presente:

"— Você *gostou* do filme?
— Muito! (= *Gostei* muito!)
— E a Greta Garbo? (= E que lhe *pareceu* a G.G.?)
— Divina!..." (= Ela *estava* divina!...)

Você pode alegar que a Linguística afirma existirem frases sem verbo, como "Silêncio" — inscrição no corredor de um hospital —, ou "— Depressa!" — frase com que se pede urgência na execução de uma tarefa.

Mas lembro-lhe que também aí o verbo está presente em nosso espírito, já que entendemos a primeira indicação como "— *Faça* silêncio.", "— *Fique* em silêncio.", e a segunda como "—*Ande* depressa!", "— *Vá* depressa!"

Em suma, toda a comunicação humana gira em torno de um verbo.

É o verbo, de todas as classes de palavras, a que apresenta maior variabilidade de forma e lhe permite indicar, além do TEMPO (passado ou pretérito, presente e futuro), o MODO (INDICATIVO: *amo; amava, amei, amara; amarei, amaria;* SUBJUNTIVO: *ame, amasse, amar*); e as três PESSOAS em suas variações de NÚMERO, singular e plural (*amo, amas, ama; amamos, amais, amam*); e a VOZ (ATIVA: *amo;* PASSIVA: *sou amado*).

Você sabe que todas estas formas citadas (e dezenas de outras) pertencem a um mesmo verbo, *amar*, um dos numerosos verbos chamados regulares, porque segue determinado modelo, já que, em qualquer de suas variadas formas, mantém o mesmo radical -*am*-, o mesmo do substantivo **am**o*r*, a que se acrescentam determinados elementos de flexão.

Já outros, OS IRREGULARES, apresentam VARIANTES no radical (como **faz**e*r*, **faç**o, **fiz**; **traz**e*r*, **trag**o, **troux**e) ou nos elementos flexionais (**tenho, tinha, tive**). Alguns, tão irregulares que são chamados ANÔMALOS, apresentam não variantes, mas radicais diferentes, como é o caso de *ser* (**sou,** era, **fui**) ou *ir* (**vou, va***mos,* **ia, fo***mos*).

Os verbos mais frequentemente usados em português são os AUXILIARES, com os quais se formam os tempos compostos da voz ativa (*ter* e *haver*: *tenho feito, havia chegado*) e da voz passiva (*ser*: *sou amado, eras amada*). Outro auxiliar de menção obrigatória é *estar*, com que se formam certas conjugações compostas (*estou amando, está cercado* de inimigos).

É curioso que esses verbos auxiliares, dos mais usados, são todos irregulares, e é indispensável conhecer-lhes a conjugação completa dos tempos simples, que transcrevemos adiante.

Convém relembrar que, na fala viva do Brasil, o pronome referente à 2.ª pessoa do plural, *vós*, está em quase completo desuso, e praticamente só ocorre nas linguagens oratória e religiosa. Fora disso é substituído por *vocês*, que exige o verbo na forma de 3.ª pessoa.

No singular, o pronome da 2.ª pessoa, *tu*, é de uso restrito a certas regiões, e alterna com *você*, muito mais usado e que leva o verbo para a 3.ª pessoa.

Assim, no PRESENTE DO INDICATIVO a conjugação do verbo *ser* é:

eu sou, tu és/você é, ele ou *ela é, nós somos, vós sois/vocês são, eles* ou *elas são.*

A 2.ª pessoa tradicional, do singular, *tu és*, não tem curso geral (mas é correntemente usada em certas regiões, como, por exemplo, no Rio Grande do Sul); a do plural, *vós sois*, está quase inteiramente fora de uso na língua falada. Apesar disso, ela vem indicada, uma vez que se encontra em textos religiosos consagrados ("bendita *sois vós*; "Pai nosso que *estais* no céu"), em discursos acadêmicos e parlamentares, redigidos na norma culta, e até em autores modernos.

Assim começa Rui Barbosa um discurso em que, agradecido, invoca a Deus:

"Deus, que me *infundistes* o amor da beleza, da verdade e da justiça; que *povoais* da vossa presença as minhas horas de segurança na vossa misericórdia; que me *descobris* os meus erros, me *reergueis* dos meus desalentos, me *conduzis* pelo vosso caminho: *dai-me*, agora mais do que nunca, o ânimo de não mentir aos meus semelhantes, não fugir a responsabilidades."

(3/10/1909)

Machado de Assis, nos seus romances, frequentemente se dirige ao leitor, ora no tratamento *tu*, ora no *vós*, como nestas passagens do *Quincas Barba*, cap. XLIV:

"Não *vades* crer que a dor aqui foi mais verdadeira que a cólera."
"*Crede-me*: há tiranos de intenção."

Também nos provérbios, formas fixas da sabedoria popular, figura às vezes o esquecido *vós*:

"Não *façais* a outrem o que não *quereis* que vos façam."
"*Fazei* o bem que digo, e não o mal que faço."

E ainda mais recentemente, num escritor tão natural como Rubem Braga, pode surgir inesperadamente o renegado *vós*:

"Quando penso em *vós*, minhas antigas amadas, agora que conheço Beatriz, tenho pena do que fui e do que *sois*, e pela primeira vez sinto-me infiel à *vossa* lembrança. *Passai* bem, princesas, adeus, pastoras, rainhas das czardas, deusas que eu endeusei outrora, ainda hoje não *vos* quero mal, apenas sucede que sobreveio Beatriz." (" A inesquecível Beatriz", em *Recado de Primavera*.)

Em vista disso, como poderíamos abandonar o *vós*?
De uma hora para outra você poderá ser chamado a utilizá--lo. Vamos, pois, aprender como.
Assim fica, portanto, a conjugação completa do verbo *ser* no presente do indicativo, com suas seis formas:

eu	sou
tu	és
ele, você	é
nós	somos

vós   sois
eles, vocês   são

Usarei o mesmo esquema para os demais verbos.
Antes, porém, de indicar a conjugação regular dos verbos, é indispensável analisar a estrutura das suas formas.
Diante de duas formas verbais como *amavas* e *amássemos*, qualquer de vocês reconhecerá, na primeira, a 2.ª pessoa do singular do imperfeito do indicativo, e na outra, a 1.ª pessoa do plural do imperfeito do subjuntivo.
O que tornou possível essa identificação?
A FLEXÃO, isto é, a variação que ocorre na parte final: em *amavas*, o -s indica a 2.ª pessoa do singular, e na sílaba -*va*- reconhecemos o imperfeito do indicativo da 1.ª conjugação; em *amássemos* é a desinência -*mos* que identifica a 1.ª pessoa do plural, e -*sse*- nos aponta o imperfeito do subjuntivo.
Vou, então, sistematizar aquilo que você sabe intuitivamente, examinando os elementos que podem ocorrer numa forma verbal:

1. O RADICAL, que nos fornece a significação básica, e pode vir acompanhado de PREFIXO: **am***a*r, **faz**e*r*, *des***faz***er*; **cobr**ir, *en***cobr**ir.

2. A VOGAL TEMÁTICA, característica de uma das três conjugações: -*a*-, para a 1.ª, -*e*-, para a 2.ª, -*i*-, para a 3.ª: *estu***d**a*r, apren***d**e*r, parti*r.

3. O TEMA, que se compõe do radical, prefixo (quando houver) e vogal temática, prontinho para receber as flexões: **fala**ste, **apren**dendo, **ouví**ssemos.

4. A CARACTERÍSTICA MODO TEMPORAL, que identifica o modo e o tempo; eis as principais:
-**va**-, do pretérito imperfeito do indicativo da 1.ª conjugação: *amá***va***mos*;
-**(i)a**-, desse mesmo tempo, na 2.ª e 3.ª conjugações: *apren-dia, partiam*;
-**ra**-, do pretérito mais-que-perfeito do indicativo de qualquer conjugação: *caminha***ra**, *esquece***ra**s, *fugi***ra**;
-**re**-, -**rá**-, -**rão**, do futuro do presente do indicativo: *chegare-mos, correrá, partirão*;

-ria-, do futuro do pretérito do indicativo: *falaria, aprenderias, ouviriam;*
-e-, do presente do subjuntivo da 1.ª conjugação: *falemos, estudes;*
-a-, do presente do subjuntivo da 2.ª e 3.ª conjugações: *corras, ouça;*
-sse-, do pretérito imperfeito do subjuntivo: *estudasse, aprendesses, partissem;*
-r-, do futuro do subjuntivo e do infinitivo: *estudar, aprenderes, partirmos.*

5. a DESINÊNCIA NÚMERO-PESSOAL, própria das pessoas gramaticais:
-o (1.ª pessoa do singular do presente do indicativo): *estudo, aprendo, parto;*
-s, -es (2.ª pessoa do singular): *estudas, estudares;*
-mos (1.ª pessoa do plural): *estudamos, aprendíamos, ouvíramos;*
-is, -des (2.ª pessoa do plural): *estudais, quiserdes;*
-m, -em (3.ª pessoa do plural): *estudam, estudarem.*

O pretérito perfeito simples do indicativo possui desinências características (a não ser na 1.ª pessoa do plural, *mos*): **-i, -ste, -u, -stes, -ram**: *falei, falaste, falou, falastes, falaram.*

Lembre-se de que o **-s** é que distingue a 2.ª pessoa do plural da 2.ª do singular: tu *cantaste*, vós *cantastes*; tu *fizeste*, vós *fizestes*.

CONJUGAÇÃO DOS VERBOS AUXILIARES

ter, haver, ser, estar

(TEMPOS SIMPLES)

MODO INDICATIVO

Presente

Ter	Haver	Ser	Estar
tenho	hei	sou	estou
tens	hás	és	estás
tem	há	é	está
temos	havemos	somos	estamos
tendes	haveis	sois	estais
têm	hão	são	estão

Pretérito Imperfeito

tinha	havia	era	estava
tinhas	havias	eras	estavas
tinha	havia	era	estava
tínhamos	havíamos	éramos	estávamos
tínheis	havíeis	éreis	estáveis
tinham	haviam	eram	estavam

Pretérito Perfeito

tive	houve	fui	estive
tiveste	houveste	foste	estiveste
teve	houve	foi	esteve
tivemos	houvemos	fomos	estivemos
tivestes	houvestes	fostes	estivestes
tiveram	houveram	foram	estiveram

Pretérito mais-que-perfeito

tivera	houvera	fora	estivera
tiveras	houveras	foras	estiveras
tivera	houvera	fora	estivera
tivéramos	houvéramos	fôramos	estivéramos
tivéreis	houvéreis	fôreis	estivéreis
tiveram	houveram	foram	estiveram

Futuro do presente

terei	haverei	serei	estarei
terás	haverás	serás	estarás
terá	haverá	será	estará
teremos	haveremos	seremos	estaremos
tereis	havereis	sereis	estareis
terão	haverão	serão	estarão

Futuro do pretérito

teria	haveria	seria	estaria
terias	haverias	serias	estarias
teria	haveria	seria	estaria
teríamos	haveríamos	seríamos	estaríamos
teríeis	haveríeis	seríeis	estaríeis
teriam	haveriam	seriam	estariam

MODO SUBJUNTIVO

Presente

tenha	haja	seja	esteja
tenhas	hajas	sejas	estejas
tenha	haja	seja	esteja
tenhamos	hajamos	sejamos	estejamos
tenhais	hajais	sejais	estejais
tenham	hajam	sejam	estejam

Pretérito Imperfeito

tivesse	houvesse	fosse	estivesse
tivesses	houvesses	fosses	estivesses
tivesse	houvesse	fosse	estivesse
tivéssemos	houvéssemos	fôssemos	estivéssemos
tivésseis	houvésseis	fôsseis	estivésseis
tivessem	houvessem	fossem	estivessem

Futuro

tiver	houver	for	estiver
tiveres	houveres	fores	estiveres
tiver	houver	for	estiver
tivermos	houvermos	formos	estivermos
tiverdes	houverdes	fordes	estiverdes
tiverem	houverem	forem	estiverem

MODO IMPERATIVO

AFIRMATIVO

tem (tu)	há (tu)	sê (tu)	está (tu)
tenha (você)	haja (você)	seja (você)	esteja (você)
tenhamos (nós)	hajamos (nós)	sejamos (nós)	estejamos (nós)
tende (vós)	havei (vós)	sede (vós)	estai (vós)
tenham (vocês)	hajam (vocês)	sejam (vocês)	estejam (vocês)

NEGATIVO

não tenhas (tu)
não tenha (você)
não tenhamos (nós)
não tenhais (vós)
não tenham (vocês)
não hajas (tu)
não haja (você)
não hajamos (nós)
não hajais (vós)
não hajam (vocês)

não sejas (tu)
não seja (você)
não sejamos (nós)
não sejais (vós)
não sejam (vocês)
não estejas (tu)
não esteja (você)
não estejamos (nós)
não estejais (vós)
não estejam (vocês)

FORMAS NOMINAIS

INFINITIVO IMPESSOAL

ter   haver   ser   estar

INFINITIVO PESSOAL (*FLEXIONADO*)

ter	haver	ser	estar
teres	haveres	seres	estares
ter	haver	ser	estar
termos	havermos	sermos	estarmos
terdes	haverdes	serdes	estardes
terem	haverem	serem	estarem

GERÚNDIO

tendo	havendo	sendo	estando

PARTICÍPIO

tido	havido	sido	estado

CONJUGAÇÃO DOS VERBOS REGULARES

1.ª conjugação 2.ª conjugação 3.ª conjugação
Modelo: **estudar** Modelo: **aprender** Modelo: **partir**

MODO INDICATIVO

PRESENTE

estud-o	aprend-o	part-o
estud-a-s	aprend-e-s	part-e-s
estud-a	aprend-e	part-e
estud-a-mos	aprend-e-mos	part-i-mos
estud-a-is	aprend-e-is	part-i-s
estud-a-m	aprend-e-m	part-e-m

Pretérito imperfeito

estud-a-va	aprend-i-a	part-i-a
estud-a-va-s	aprend-i-a-s	part-i-a-s
estud-a-va	aprend-i-a	part-i-a
estud-á-va-mos	aprend-í-a-mos	part-í-a-mos
estud-á-ve-is	aprend-í-e-is	part-í-e-is
estud-a-vam	aprend-i-am	part-i-am

Pretérito perfeito

estud-e-i	aprend-i	part-i
estud-a-ste	aprend-e-ste	part-i-ste
estud-o-u	aprend-e-u	part-í-u
estud-a-mos	aprend-e-mos	part-i-mos
estud-a-stes	aprend-e-stes	part-i-stes
estud-a-ram	aprend-e-ram	part-i-ram

Pretérito perfeito composto

tenho estudado	*tenho* aprendido	*tenho* partido
tens estudado	*tens* aprendido	*tens* partido
tem estudado	*tem* aprendido	*tem* partido
temos estudado	*temos* aprendido	*temos* partido
tendes estudado	*tendes* aprendido	*tendes* partido
têm estudado	*têm* aprendido	*têm* partido

Pretérito mais-que-perfeito

estud-a-ra	aprend-e-ra	part-i-ra
estud-a-ra-s	aprend-e-ra-s	part-i-ra-s
estud-a-ra	aprend-e-ra	part-i-ra
estud-á-ra-mos	aprend-ê-ra-mos	part-í-ra-mos
estud-á-re-is	aprend-ê-re-is	part-í-re-is
estud-a-ram	aprend-e-ram	part-i-ram

PRETÉRITO MAIS-QUE-PERFEITO COMPOSTO

tinha (havia) estudado	tinha⁶* aprendido	tinha* partido
tinhas estudado	tinhas aprendido	tinhas partido
tinha estudado	tinha aprendido	tinha partido
tínhamos estudado	tínhamos aprendido	tínhamos partido
tínheis estudado	tínheis aprendido	tínheis partido
tinham estudado	tinham aprendido	tinhas partido

FUTURO DO PRESENTE SIMPLES

estud-a-re-i	aprend-e-re-i	part-i-re-i
estud-a-rá-s	aprend-e-rá-s	part-i-rá-s
estud-a-rá	aprend-e-rá	part-i-rá
estud-a-re-mos	aprend-e-re-mos	part-i-re-mos
estud-a-re-is	aprend-e-re-is	part-i-re-is
estud-a-rão	aprend-e-rão	part-i-rão

FUTURO DO PRESENTE COMPOSTO

terei* estudado	terei* aprendido	terei* partido
terás estudado	terás aprendido	terás partido
terá estudado	terá aprendido	terá partido
teremos estudado	teremos aprendido	teremos partido
tereis estudado	tereis aprendido	tereis partido
terão estudado	terão aprendido	terão partido

FUTURO DO PRETÉRITO SIMPLES

estud-a-ria	aprend-e-ria	part-i-ria
estud-a-ria-s	aprend-e-ria-s	part-i-ria-s
estud-a-ria	aprend-e-ria	part-i-ria
estud-a-ría-mos	aprend-e-ría-mos	part-i-ría-mos
estud-a-ríe-is	aprend-e-ríe-is	part-i-ríe-is
estud-a-ria-m	aprend-e-ria-m	part-i-ria-m

⁶ Obs.: As formas assinaladas com asterisco (*) também se conjugam com o auxiliar *haver*.

Futuro do pretérito composto

teria* estudado	teria* aprendido	teria* partido
terias estudado	terias aprendido	terias partido
teria estudado	teria aprendido	teria partido
teríamos estudado	teríamos aprendido	teríamos partido
teríeis estudado	teríeis aprendido	teríeis partido
teriam estudado	teriam aprendido	teriam partido

MODO SUBJUNTIVO

Presente

estud-e	aprend-a	part-a
estud-e-s	aprend-a-s	part-a-s
estud-e	aprend-a	part-a
estud-e-mos	aprend-a-mos	part-a-mos
estud-e-is	aprend-a-is	part-a-is
estud-e-m	aprend-a-m	part-a-m

Pretérito imperfeito

estud-a-sse	aprend-e-sse	part-i-sse
estud-a-sses	aprend-e-sses	part-i-sses
estud-a-sse	aprend-e-sse	part-i-sse
estud-á-sse-mos	aprend-ê-sse-mos	part-í-sse-mos
estud-á-sse-is	aprend-ê-sse-is	part-í-sse-is
estud-a-sse-m	aprend-e-sse-m	part-i-sse-m

Pretérito perfeito

tenha* estudado	tenha* aprendido	tenha* partido
tenhas estudado	tenhas aprendido	tenhas partido
tenha estudado	tenha aprendido	tenha partido
tenhamos estudado	tenhamos aprendido	tenhamos partido
tenhais estudado	tenhais aprendido	tenhais partido
tenham estudado	tenham aprendido	tenham partido

Pretérito mais-que-perfeito

*tivesse** estudado	*tivesse** aprendido	*tivesse** partido
tivesses estudado	*tivesses* aprendido	*tivesses* partido
tivesse estudado	*tivesse* aprendido	*tivesse* partido
tivéssemos estudado	*tivéssemos* aprendido	*tivéssemos* partido
tivésseis estudado	*tivésseis* aprendido	*tivésseis* partido
tivessem estudado	*tivessem* aprendido	*tivessem* partido

Futuro

estud-a-r	aprend-e-r	part-i-r
estud-a-r-es	aprend-e-r-es	part-i-re-s
estud-a-r	aprend-e-r	part-i-r
estud-a-r-mos	aprend-e-r-mos	part-i-r-mos
estud-a-r-des	aprend-e-r-des	part-i-r-des
estud-a-r-em	aprend-e-r-em	part-i-r-em

Futuro composto

*tiver** estudado	*tiver** aprendido	*tiver** partido
tiveres estudado	*tiveres* aprendido	*tiveres* partido
tiver estudado	*tiver* aprendido	*tiver* partido
tivermos estudado	*tivermos* aprendido	*tivermos* partido
tiverdes estudado	*tiverdes* aprendido	*tiverdes* partido
tiverem estudado	*tiverem* aprendido	*tiverem* partido

MODO IMPERATIVO

Afirmativo

estud-a (tu)	aprend-e (tu)	part-e (tu)
estud-e (você)	aprend-a (você)	part-a (você)
estud-e-mos (nós)	aprend-a-mos (nós)	part-a-mos (nós)
estud-a-i (vós)	aprend-e-i (vós)	part-i (vós)
estud-e-m (vocês)	aprend-a-m (vocês)	part-a-m (vocês)

NEGATIVO

não estud-e-s (tu)	não aprend-a-s (tu)	não part-a-s (tu)
não estud-e (você)	não aprend-a (você)	não part-a (você)
não estud-e-mos (nós)	não aprend-a-mos (nós)	não part-a-mos (nós)
não estud-e-is (vós)	não aprend-a-is (vós)	não part-a-is (vós)
não estud-e-m (vocês)	não aprend-a-m (vocês)	não part-a-m (vocês)

FORMAS NOMINAIS

INFINITIVO IMPESSOAL SIMPLES (*PRESENTE*)

estudar	aprender	partir

INFINITIVO PESSOAL SIMPLES (*FLEXIONADO*)

estud-a-r	aprend-e-r	part-i-r
estud-a-r-es	aprend-e-r-es	part-i-r-es
estud-a-r	aprend-e-r	part-i-r
estud-a-r-mos	aprend-e-r-mos	part-i-r-mos
estud-a-r-des	aprend-e-r-des	part-i-r-des
estud-a-rem	aprend-e-rem	part-i-rem

INFINITIVO IMPESSOAL COMPOSTO
(*Pretérito impessoal*)

ter* estudado	*ter** aprendido	*ter** partido

INFINITIVO PESSOAL COMPOSTO
(*Pretérito pessoal*)

ter* estudado	*ter** aprendido	*ter** partido
teres estudado	*teres* aprendido	*teres* partido
ter estudado	*ter* aprendido	*ter* partido
termos estudado	*termos* aprendido	*termos* partido

terdes estudado   terdes aprendido   terdes partido
terem estudado   terem aprendido   terem partido

GERÚNDIO SIMPLES (*PRESENTE*)

estud-a-ndo   aprend-e-ndo   part-i-ndo

GERÚNDIO COMPOSTO (*PRETÉRITO*)

tendo* estudado   tendo* aprendido   tendo* partido

PARTICÍPIO (*PRETÉRITO*)

estud-a-do   aprend-i-do   part-i-do

15. ONTEM, HOJE, AMANHÃ: O TEMPO CORRE...

Consideremos, nas frases abaixo, as formas verbais grifadas de 1.ª pessoa do singular:

1. *Estudo* diariamente.
2. Ontem *estudei* duas horas.
3. Enquanto eu *estudava*, ouvia música.
4. Já *tinha estudado* bastante, quando *resolvi* sair.
5. Amanhã não *estudarei*: *irei* ao futebol.

É fácil ver que a l.ª, *estudo*, se refere a um momento PRESENTE; todas as formas das frases 2 a 4, a um momento já passado, que em gramática se chama PRETÉRITO; as duas últimas, na frase de n.º 5, a um momento FUTURO.

Podemos concluir, portanto, que o verbo varia em TEMPO.

PRETÉRITO	PRESENTE	FUTURO
Há pouco.	Aqui e agora.	Daqui a pouco.
Ontem.	Hoje.	Amanhã.
Naquele tempo.	Neste momento.	Dentro de algum tempo.
No início do mundo.	No mundo atual.	No final dos tempos.

Compare agora estas três formas verbais da 2.ª pessoa do singular:

1. *Trabalhas* muito.
2. É preciso que *trabalhes*.
3. *Trabalha*, rapaz!

As três formas se reportam a um momento presente. A primeira indica um fato certo, real — e o verbo está no "modo" INDICATIVO; a 2.ª exprime um ato apenas possível — e o verbo se diz no modo SUBJUNTIVO; na 3.ª, se dá um conselho, ou uma ordem, e o verbo está no modo IMPERATIVO.

Conclui-se facilmente que o verbo também varia em MODO.

O INDICATIVO é o modo da realidade, da certeza, da verificação, da exposição objetiva (ou como tal apresentada), em referência ao presente, ao passado ou ao futuro:

> O tempo *está* firme.
> A Terra se *move* em tomo do Sol.
> O homem já *pisou* a Lua.
> Amanhã *viajarei* para São Paulo.

É o indicativo o modo básico do período simples e da oração principal, o que não impede figure nas orações subordinadas dependentes de verbos que exprimem crença, afirmação, verificação, certeza e sentimentos análogos:

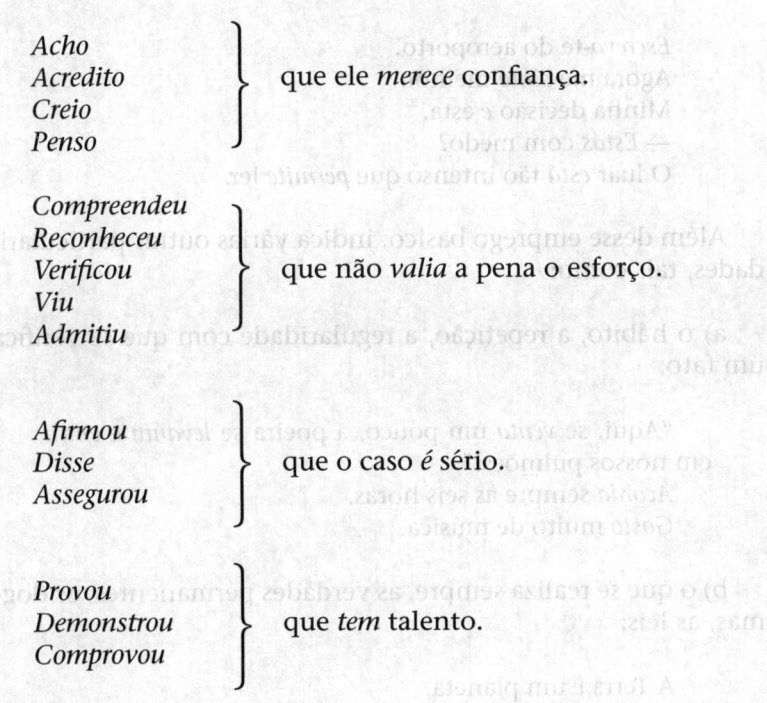

Acho
Acredito
Creio
Penso
} que ele *merece* confiança.

Compreendeu
Reconheceu
Verificou
Viu
Admitiu
} que não *valia* a pena o esforço.

Afirmou
Disse
Assegurou
} que o caso *é* sério.

Provou
Demonstrou
Comprovou
} que *tem* talento.

Basta, porém, que o verbo da oração principal venha modificado por uma negação para que o verbo da subordinada passe para o subjuntivo:

Não acredito que ele *mereça* confiança.
Não admitia que *valesse* a pena o esforço.
Não posso assegurar que o caso *seja* sério.
Não provou que *tivesse* talento.

Dos tempos do indicativo, uns são SIMPLES, numa só palavra, outros COMPOSTOS com os auxiliares *ter* ou *haver* (menos usado hoje em dia).

O PRESENTE

No seu uso mais geral, o presente do indicativo se presta para exprimir o fato, a ação, o modo de ser que se desenvolvem e se mantêm no momento em que se fala, no próprio ato da palavra:

Escrevo-te do aeroporto.
Agora me *sinto* melhor.
Minha decisão *é* esta.
— *Estás* com medo?
O luar *está* tão intenso que *permite* ler.

Além desse emprego básico, indica várias outras particularidades, tais como:

a) o hábito, a repetição, a regularidade com que se verifica um fato:

"Aqui, se *venta* um pouco, a poeira se *levanta* e *entra* em nossos pulmões."
Acorda sempre às seis horas.
Gosto muito de música.

b) o que se realiza sempre, as verdades permanentes, os dogmas, as leis:

A Terra *é* um planeta.

A água se *compõe* de oxigênio e hidrogênio.
Todos *são* iguais perante a lei.

[Nos provérbios e aforismos o presente quer indicar exatamente a validade perene do que se afirma: "Ninguém *é* profeta em sua terra.", "A mentira *tem* pernas curtas."]

O PRESENTE do indicativo é, por assim dizer, o tempo universal, e predomina sobre os demais: estranho como pareça, também se usa para indicar o passado e o futuro:

O PRESENTE HISTÓRICO é um passado em forma de presente; é uma forma de reviver o passado no presente, dando-se vivacidade à narrativa:

"Em frente ao meu edifício existe uma feira *hippie*, com tudo bem organizado, muita gente comprando. Pois de repente, de um lado e outro *aparecem* barracas, as calçadas *são* invadidas por camelôs e a sujeira *domina* a Praça."

"Os navios *aproximam*-se da costa francesa e *começa* o desembarque das tropas aliadas."

– O uso do presente pelo futuro do indicativo é um meio expressivo de dar como certo um fato ainda por ocorrer:

Obrigado pelo livro; amanhã *devolvo*.
Mais um passo, e *és* um homem morto.

– Também se usa pelo futuro do subjuntivo:

Se você *dá* as costas, começam a criticá-lo.
Não sei o que faço se eles *continuam* de namoro.

– Substitui o imperativo, para abrandar-lhe o tom autoritário; muitas vezes em forma interrogativa:

Você me *devolve* logo o livro, sim?
O senhor me *empresta* os fósforos?

O PRETÉRITO IMPERFEITO

Como o próprio nome sugere (*imperfeito* quer dizer "inacabado"), o pretérito imperfeito designa basicamente um fato anterior ao momento atual, mas que dura ainda no momento do passado a que nos referimos.
Assim, emprega-se nas seguintes circunstâncias:

1. Como imperfeito narrativo, serve para dar um tom de presente ao que se conta de uma época passada:

"A lua cheia *descia* vagarosa; *descambava* para trás. À frente, *brilhava* uma grande estrela avermelhada, que nos *servia* de guia."

Se nos referimos a dois fatos simultâneos, indica o que se estava passando quando ocorreu o outro:

"Quando eu *era* rapazola, alguém me *deu* para ler um livro de Júlio Verne."
"Explicou tudo ao guarda que o *interrogava.*"

2. Exprime um fato passado habitual ou frequente:

"Antigamente a gente *fugia* para a praia, para o mar."
"O passarinho logo me *reconhecia* quando eu me *aproximava* da gaiola."

3. Substitui o futuro do pretérito, emprestando mais vigor à afirmação:

Se eu tivesse meios, *comprava* um sitiozinho.

4. Substitui, em sinal de cortesia, o presente do indicativo:

A patroa mandou saber se o senhor *queria* o almoço agora.

O PRETÉRITO PERFEITO SIMPLES

O pretérito perfeito simples indica um fato inteiramente concluído no passado:

O Presidente *tomou* posse ontem.
Embarquei às dez horas, mas o avião só *decolou* às onze.

O PRETÉRITO PERFEITO COMPOSTO

Muito diferente do simples é o emprego do pretérito perfeito composto, formado com o presente do indicativo do auxiliar *ter* e o particípio do verbo principal; enquanto a forma simples exprime um fato inteiramente concluído, a do perfeito composto indica um fato repetido, que se inicia no passado e pode estender-se até o presente:

"Como *tem sucedido* em outras ocasiões da minha vida, eu agora estou mal de dinheiro."
"*Tenho lido* muito ultimamente."
"*Temos tido* administradores vaidosos que erguem monumentos à própria vaidade."

O MAIS-QUE-PERFEITO

O português se dá ao luxo de possuir três formas diferentes para o mais-que-perfeito com o mesmo valor: uma simples, reconhecida pela característica *-ra-*, e duas compostas, uma com o auxiliar *ter*, outra com *haver* no imperfeito do indicativo seguidos do particípio do verbo principal: *chegara, tinha chegado* (a mais usada), *havia chegado*, esta última quase exclusivamente literária.

Qualquer dessas formas indica um fato passado anterior a outro já passado:

"Era noite de lua cheia, e a lua já *atravessara* grande parte do céu quando saímos para pescar."
"Em Portugal, o navio encheu-se de ex-emigrantes que *tinham prosperado* no Brasil e agora retornavam com toda a família." [Poderia ser *haviam prosperado*.]

O bom escritor tira partido dessa tríplice possibilidade para variar o estilo.

Veja como procede Graciliano Ramos, mestre do romance brasileiro, na primeira página de *Vidas Secas* (livro que você deve ler, ou reler):

"Os infelizes *tinham caminhado* o dia inteiro, estavam cansados e famintos. Ordinariamente andavam pouco, mas como *haviam repousado* bastante na areia do rio seco, a viagem *progredira* bem três léguas."

Observe ainda que, por ser igual à do pretérito perfeito simples, não é comum usar-se a forma simples do mais-que--perfeito da 3.ª pessoa do plural, que seria sentida mais provavelmente como do perfeito: *repousou — repousaram/ repousara — repousaram*.

A forma simples do mais-que-perfeito está em desuso entre o povo, que prefere a forma composta com o auxiliar *ter*.

Além desse valor fundamental, o mais-que-perfeito simples tem sido usado, sobretudo pelos escritores mais antigos, em lugar do futuro do pretérito (em *-ria*) e do pretérito imperfeito do subjuntivo (em *-sse*). São de todos conhecidos estes versos de famoso soneto de Camões:

"... Mais *servira*, se não *fora*,
Para tão grande amor, tão curta a vida."
[Entende-se: "mais *serviria*, se não *fosse*".]

Graças ao título de um filme, tornou-se até comum a expressão "Se eu *fora* rei".

O povo usa esta forma em frases exclamativas fixas, estereotipadas, como "Quem me *dera*!", "*Pudera*!", "*Prouvera* a Deus."

O FUTURO DO PRESENTE SIMPLES

Pela própria natureza de exprimir fatos que ainda não se realizaram, posteriores portanto ao momento em que se fala, O FUTURO DO PRESENTE, embora do indicativo, poucas vezes pode referir-se propriamente a certezas: indica mais frequentemente aquilo que se deseja ou se tem como certo num momento que ainda está por vir. Veja primeiro dois exemplos do "futuro de certeza", tirados do livro *Recado de Primavera* do cronista Rubem Braga:

"Pediram-me para dar um depoimento pessoal sobre o Marechal Mascarenhas de Morais, o comandante da FEB, no centenário do seu nascimento. [...] *Recor-*

darei um dia em que estivemos lado a lado durante algumas horas." (Capítulo "Um combate infeliz") [E o cronista passa a narrar, daí em diante, o que aconteceu naquele dia.]
"Relembro agora aquela a quem *chamarei* Beatriz, alegria de minha vista e de minha vida, saudade alegre, prazer de sempre, clarinada matinal, doçura." [O cronista diz "chamarei" e daí por diante dá esse nome à sua amada.]

E agora alguns exemplos de fatos que se tinham como de realização segura:

Chegarei amanhã. [Mas a chegada pode não se dar...]
O cometa Halley *será* visível no Rio em março. [Isso se as condições atmosféricas permitirem.]
"O Presidente Tancredo Neves *tomará* posse amanhã." (Dos jornais da época.) [Mas lamentavelmente o destino não o permitiu.]
— Não *porei* mais os pés aqui! [Mas não se sabe se a intenção se confirmará.]

Não é de estranhar, pois, que esse tempo, que joga com o imprevisível porvir, tenha adquirido valores às vezes de um verdadeiro modo, designando probabilidade ou possibilidade, suposição, dúvida:

Sua idade é um mistério: não *terá* mais de 40 anos.
Quem *será* aquele homem?
Haverá paz no túmulo?
Existirá vida inteligente noutros planetas?
Quando puder, *comprarei* um sítio.
Se você estudar com afinco, sem dúvida *aprenderá*.

Não param aí os usos desse tempo verbal.
Como em português não dispomos de formas próprias para o imperativo futuro (em latim existem), emprega-se com esse valor, especialmente na linguagem bíblica:

Não *furtarás*.
Amarás a teu próximo como a ti mesmo.

Embora o futuro simples do indicativo seja "do presente" (ou seja, relativo ao tempo que virá depois do atual), usa-se também para exprimir uma ação posterior a outra no passado:

"Nomeado Embaixador do Brasil à Conferência de Haia, Rui Barbosa aí *defenderá* intransigentemente a igualdade entre as pequenas e as grandes nações."

Como você vê, na língua muitas vezes se confundem o ontem, o hoje e o amanhã...

A AGONIA DO FUTURO SIMPLES

Se você atentar para a sua própria *fala* e a dos seus parentes, colegas e amigos, sem dúvida vai verificar que só muito raramente se usam as formas do futuro simples do indicativo, substituídas ou pelo presente — quando se tem firme intenção de tornar real o fato futuro — ou por várias locuções com verbos auxiliares (como *ir* [o mais comum], *haver de, dever, querer, poder, ter de, ter que*) no presente do indicativo seguidos do verbo principal no infinitivo:

Hoje à noite *vou* [em vez de *irei*] ao teatro.

O Ministro da Fazenda declarou que a inflação *vai baixar* [em vez de *baixará*] no próximo mês.

Meu candidato *vai ser* [= *será* (assim desejo e espero)] eleito.

Os candidatos de n.º 1 a 40 *devem dirigir-se* [= se dirigirão (obrigatoriamente)] à sala A.

Hão de vir [= *virão* (sem dúvida)] dias melhores.

Amanhã *tenho de* (ou *que*) comparecer [= comparecerei (obrigatoriamente)] a uma audiência na Justiça do Trabalho.

Você *quer* (ou *pode*) *fazer* [= *fará*] isso por mim?

Está acontecendo com o nosso futuro simples o mesmo que sucedeu com o futuro latino: a princípio simples, numa só palavra (p. ex. *cantabo*, "cantarei"), passou a exprimir-se numa locução com o auxiliar *habere* ("haver") no indicativo, precedido do verbo principal: *cantare hai* (isto é, "tenho a intenção de cantar", "hei de cantar"), expressão que acabou produzindo o nosso futuro simples: *cantar (h)ei > cantarei*, que agora, como vimos, vai sendo substituído por formas analíticas (em mais de uma palavra), numa velha tendência da língua. A história se repete séculos depois...

O FUTURO DO PRESENTE COMPOSTO

Também chamado (e mais expressivamente) *futuro anterior* e *futuro perfeito*, o FUTURO DO PRESENTE COMPOSTO, formado pelo auxiliar *ter* (mais raramente *haver*) no futuro do presente simples mais o particípio do verbo principal, exprime um fato posterior ao momento presente, mas já acabado antes de outro fato futuro:

>Ao meio-dia a prova já *terá* (ou *haverá*) terminado.
>Não se sabe o que *terá acontecido* ao Cireneu depois que ajudou Jesus Cristo a carregar a Cruz.

Também indica como certo um fato futuro dependente de certas condições:

>Se eles não chegarem até às seis horas é porque *terão errado* o caminho.

O FUTURO DO PRETÉRITO SIMPLES

O chamado FUTURO DO PRETÉRITO (que já se chamou "condicional") exprime mais geralmente um fato posterior (e portanto futuro) a determinado momento já passado (pretérito) de que se fala:

>Afirmou que nunca mais *poria* os pés ali.

Esquematicamente:

no passado	presente hoje	futuramente
1	3	2

[A frase, dita hoje 3, se refere a um momento do passado 1 em que alguém faz uma afirmação para o *futuro* 2. Tudo numa ocasião anterior ao presente (do *pretérito*, portanto). Trata-se, pois, de um futuro dentro do passado. A mesma afirmação, se dita no presente para um momento futuro, terá o verbo no futuro do presente: "— Não *porei* mais os pés aqui."]

Tal como acontece com o futuro do presente, o futuro do pretérito adquire muitas vezes valores de um verdadeiro "modo", o que tem levado gramáticos de várias línguas a falar, impropriamente, num MODO CONDICIONAL ou POTENCIAL (que, a existir, incluiria o futuro do presente):

> Sua idade era um mistério: não *teria* mais de 40 anos.
> Disse que *chegaria* no dia seguinte.
> Os astrônomos garantiram que o cometa Halley *seria* visível no Rio em março.
> Se tivesse meios, *compraria* um sítio.
> Quem *seria* aquele homem?
> *Haveria* paz no túmulo?
> Se você estudasse com afinco, sem dúvida *aprenderia*.

A mesma frase com que antes exemplifiquei um uso estranho do futuro do presente, se usa, talvez mais adequadamente, com o verbo no futuro do pretérito:

> "Nomeado Embaixador do Brasil à Conferência de Haia, Rui Barbosa aí *defenderia* intransigentemente a igualdade entre as pequenas e grandes nações."

Tal como o futuro do presente é muitas vezes substituído pelo presente, o futuro do pretérito, sobretudo na linguagem coloquial, é substituído pelo pretérito imperfeito:

> Se eu pudesse, *ia* (em lugar que *iria*) vê-lo.

O FUTURO DO PRETÉRITO COMPOSTO

O FUTURO DO PRETÉRITO COMPOSTO (ou ANTERIOR), formado pelo auxiliar *ter* (mais raramente *haver*) no futuro do pretérito simples mais o particípio do verbo principal, exprime um fato posterior a uma época passada a que nos referimos, mas já acabada antes de outro fato futuro:

> Estava previsto que ao meio-dia a prova já *teria* (ou *haveria*) *terminado*.
>
> O que *teria acontecido* ao Cireneu depois que ajudou Jesus Cristo a carregar a cruz?

Também indica um fato possível, anterior a determinada época, dependente de certas condições:

> Eu o *teria esperado*, caso não tivesse um compromisso inadiável.
>
> Um sapo venenoso *teria causado* a doença do naturalista.

16. O MODO DA INCERTEZA

O modo verbal com que se exprime um fato de realização incerta, apenas possível, eventual, chama-se SUBJUNTIVO. É o modo típico da oração subordinada, e ocorre nas orações dependentes de verbos que designam dúvida, descrença, possibilidade, desejo, esperança, súplica, receio, conselho e vários outros sentimentos análogos:

Duvido que ele *consiga* a transferência.

É possível
É provável } que a ocasião *apareça*.

Esperamos que você *aprecie* nosso esforço.

É compreensível
É natural } que ele *esteja* nervoso.

É bom
É conveniente
Convém
Cumpre } que ele *saiba* da combinação feita.

Desejo
Espero } que *voltes* logo.

Gostaria que *estudasses* mais.
Aconselho aos jovens que *leiam*, que *reflitam*.

Receio
Temo } que ele *tenha* razão.

Aconselhou
Deixou
Mandou
Recomendou
} que ele *desistisse*.

Proibiram que *levassem* armas.
Lamentaram que *tivéssemos* de voltar tão cedo.

Pediram
Rogaram
Suplicaram
} que *ficássemos* mais tempo.

Mesmo figurando em orações independentes, o subjuntivo muitas vezes carrega o *que* como um resíduo da subordinação:

"*Que* os jovens *namorem*, que *curtam* a vida material; mas não *esqueçam* a vida intelectual."

Além do *que*, muitas outras conjunções, pelo fato de sugerirem fatos incertos ou hipotéticos, exigem o verbo no subjuntivo. São elas:

– de comparação hipotética (*como se*):

Mostravam-se descuidados, *como se* nada *temessem*.

– concessivas (*ainda que, conquanto, embora, mesmo que, posto (que), se bem que, apesar de que, por mais que, nem que*):

Posto (*que*)
Por mais que
etc.
} se *esforçasse*, não conseguia compreender.

– condicionais (*se, caso, sem que, contanto que, salvo se, desde que, a não ser que, a menos que*):

Se *estudares*,
Caso *estudes*,
Desde que *estudes*,
        enriquecerás teu mundo interior.

Se não *houvesse* tristezas, não daríamos valor às alegrias.

– finais (*para que, afim de que, porque*):

Rezai, *porque* (ou *para que*) não *entreis* em tentação.

– temporais, quando marcam a anterioridade (*antes que, até que, primeiro que*) ou quando marcam o futuro (*quando, logo que, assim que*):

Pensa bem, *antes que escrevas* a resposta.
Logo que (*quando, assim que*) *chegares*, procura o diretor.

O advérbio *talvez*, quando precede o verbo, geralmente o leva ao subjuntivo:

Talvez chova hoje.
Talvez um dia meu amor se *extinga*.

Quando, porém, o *talvez* indica possibilidade ou dúvida, mas com alguma proximidade da certeza, o verbo vai para o indicativo:

"Eu estava tão comovido, que deixei a filha e lancei-me aos braços do pai. *Talvez* essa efusão o *desconcertou* um pouco; é certo que me pareceu acanhado." (Machado de Assis, *Memórias Póstumas de Brás Cubas*, cap. LXXXI.)

OS TEMPOS DO SUBJUNTIVO

O subjuntivo tem três tempos simples (o presente, o pretérito imperfeito e o futuro) e três compostos (pretérito perfeito, pretérito mais-que-perfeito e futuro anterior), cujo emprego se assemelha aos correspondentes do indicativo.

O PRESENTE, que indica basicamente um fato que se passa no momento da fala, pode também estender a ação para o futuro:

É melhor que eu não *minta* a você.
É provável que ele *viaje* amanhã.

Observe-se que o verbo no **presente** do subjuntivo, em oração dependente, está em concordância com o verbo no presente do indicativo, na oração principal:

> *Espero* que você *venha*.

O PRETÉRITO IMPERFEITO indica fato possível de acontecer no passado, embora sem momento definido:

> Se *tivesses* coração, *terias* tudo agora.
> O Destino não permitiu que ele *vivesse* até hoje.

O imperfeito do subjuntivo, quando em oração dependente, substantiva, mantém correlação com o pretérito perfeito ou com o imperfeito do indicativo:

> *Era* provável que ele ainda *aparecesse*.
> *Pedi*-lhe que se *acalmasse*.

Em oração adverbial, a concordância se dá com o futuro do pretérito.

> Mesmo que não *resistisse*, *estaria* igualmente condenado.

O PRETÉRITO PERFEITO forma-se com o presente do subjuntivo do verbo *ter* (mais raramente *haver*) e o particípio do verbo principal; exprime basicamente um fato terminado (ou supostamente acabado) em época passada:

> Embora *tenha* (ou *haja*) *estudado* com afinco, não foi aprovado.
> É de esperar que ele já *tenha cumprido* todas as exigências.

Pode ainda exprimir um fato possível no futuro, mas já terminado em relação a outro fato futuro:

> Quando chegarmos, espero que ela já *tenha terminado* a toalete.

O PRETÉRITO MAIS-QUE-PERFEITO forma-se com o imperfeito do subjuntivo de *ter* ou *haver* mais o particípio do verbo principal;

sempre dentro do sentido eventual do subjuntivo, exprime basicamente um fato anterior a outro já passado:

> Embora a sessão já *tivesse começado*, resolvemos entrar.
> Se ele *houvesse escutado* meus conselhos, não teria ido à falência.

O FUTURO SIMPLES exprime um fato presumivelmente realizável no futuro; e ocorre em orações subordinadas:

– adverbiais conformativas:
  Faça como *quiser*.
– adverbiais condicionais:
  Se *fizer* bom tempo, sairemos já.
– adverbiais temporais:
  Quando *vieres*, avisa-me.
– adjetivas:
  O primeiro que *responder* certo ganhará um prêmio.
– substantivas:
  Quem *puder* ajude os flagelados.

O FUTURO COMPOSTO (ANTERIOR ou PERFEITO) é formado com o futuro simples de *ter* ou *haver* mais o particípio do verbo principal, e exprime, sempre dentro das características do subjuntivo, que um fato futuro estará terminado antes de outro fato futuro:

> Só sairemos quando eu *tiver terminado* o trabalho.
> Se já *tiveres lido* esse livro, devolve-mo.

17. O IMPERATIVO NEM SEMPRE MANDA

Se nos guiarmos apenas pelo nome, ficaremos com a falsa noção de que o IMPERATIVO é o modo verbal com que se exprime mando, ordem de uma autoridade ou de alguém de escala superior.

A realidade, porém, é outra: o comando e a ordem só ocorrem na minoria dos casos; muito mais frequentemente se usa esse modo para um pedido, um convite, um conselho, uma advertência, uma súplica humilde. Os exemplos dizem mais do que qualquer teoria:

Abram, em nome da lei!
Empreste-me esse livro, sim?
Vamos à praia?
Fecha a janela, que o vento está forte demais.
"*Dá-me* um beijinho, *dá*..."
Não te *fies* nas suas promessas.
"*Faze* o bem, *não olhes* a quem."
Valei-me, Santa Bárbara!
Acudam!

AS FORMAS DO IMPERATIVO

Em nossa língua há um IMPERATIVO AFIRMATIVO e um IMPERATIVO NEGATIVO.

No imperativo afirmativo, somente a 2.ª pessoa do singular (*tu*) e a 2.ª do plural (*vós*) possuem formas próprias; as demais são emprestadas do presente do subjuntivo, que fornece também **todas** as formas do imperativo negativo.

Como no imperativo aquele que fala se dirige a um ouvinte, este modo só admite as pessoas que designam aquele *a quem se fala*, ou seja, a 2.ª pessoa do singular e do plural, a 3.ª pessoa do singular e do plural para os pronomes de tratamento *você*, *vocês, o senhor, os senhores*. Admite, além disso, a 1.ª pessoa do plural, em que o falante se associa ao(s) ouvinte(s) (*você e eu, vocês e eu*).

A maneira mais prática de obter as formas próprias do imperativo afirmativo consiste em conjugar nas 2.ᵃˢ pessoas o presente do indicativo, suprimindo o *-s* final; com isso obtêm-se as formas referentes a *tu* e *vós*:

INDICATIVO		IMPERATIVO	
(tu)	(vós)		
estudas	estudais	estuda	estudai
sabes	sabeis	sabe	sabei
dizes	dizeis	dize	dizei
pões	pondes	põe (tu)	ponde (vós)
partes	partis	parte	parti
tens	tendes	tem	tende
vens	vindes	vem	vinde

As demais pessoas, como já dissemos, são tomadas de empréstimo ao presente do subjuntivo:

SUBJUNTIVO	IMPERATIVO
(que você) *estude*	*estude* (você)
(que nós) *estudemos*	*estudemos* (nós)
(que vocês) *estudem*	*estudem* (vocês)

O imperativo negativo tem **todas** as suas formas iguais às do presente do subjuntivo: não *estudes*, não *estude*, não *estudemos*, não *estudeis*, não *estudem*.

O IMPERATIVO NA FALA BRASILEIRA

Na fala natural do Brasil, já sabemos que é restrito o uso do tratamento *tu* (muitas vezes misturado com *você*), e inteiramente desusado o tratamento *vós*.

Disso resulta que os falantes, mesmo que usem o tratamento *você*, frequentemente lançam mão da forma própria do tratamento *tu*, fato que se comprova até em obras literárias, especialmente quando se reproduzem diálogos, ou em cartas íntimas. Releia o trecho de carta de Monteiro Lobato reproduzido no capítulo inicial deste livro.

No seu conhecido poema "Irene no Céu", Manuel Bandeira nos dá um bom exemplo. Quando a boa preta velha Irene chega ao céu, São Pedro, num convite muito bonachão, lhe diz:

"*Entra*, Irene *você* não precisa pedir licença."

A construção é bem carioca: o tratamento é *você*, mas a forma do imperativo, *entra*, pertence à 2.ª pessoa, *tu*. Familiarmente, o uso da forma própria soa mais autoritário.

Se a mãe de Joãozinho quer *pedir-lhe* que faça um pequeno serviço, sem dúvida lhe dirá:

— *Vem* cá, Joãozinho, preciso que *você* vá até a casa de Dona Marina.

[O *vem*, referente a *tu*, se mistura com o *você*.]

Mas, se estiver aborrecida com alguma traquinagem mais séria do filho, a mudança de tratamento já poderá preocupar Joãozinho:

— *Venha* cá, menino! Preciso falar com você!

É claro que, em ambos os casos, o tom de voz colabora, e acentua a seu modo a natureza do estado de ânimo do falante.

Muito ilustrativos são estes trechos do conto (em forma de carta) "O ventre seco", do festejado escritor Raduan Nassar, publicado no suplemento "Ideias" do *Jornal do Brasil* de 18 de março de 1989. (Vão destacadas as formas que atestam a mistura intencional de tratamento.)

"Mas *te* advirto, Paula: a partir de agora, não *conte* mais comigo como *tua* ferramenta."

"*Você* me deu muitas coisas, Paula, me cumulou de atenções (...) Não quero discutir os motivos da *tua* generosidade."

"Não me *telefone*, não *estacione* mais o carro na porta do meu prédio, não *mande* terceiros me revelarem *tua* existência."

"Não *tente* mais, Paula, me contaminar com a *tua* febre, me inserir no *teu* contexto, me pregar *tuas* certezas, *tuas* convicções e outros remoinhos virulentos que *te* agitam a cabeça."

"Não *seja* tola, Paula, não estou *te* recriminando nada, sempre assisti com indiferença aos arremedos que *você* fazia da 'bruxa velha'."

As formas de imperativo são invariavelmente as do tratamento *você* (que aliás vem explícito, como pronome reto, quando sujeito): "não *conte*", "Não me *telefone*, não *estacione*", "não *mande*", "Não *tente*", "Não *seja*"; mas os pronomes oblíquos e possessivos assumem sempre as formas do tratamento *tu*: *te, tua, teu, tuas*.

O contista usa conscientemente da liberdade que gozam os escritores autênticos de desviar-se intencionalmente das normas gramaticais em benefício da expressividade. Ele subscreveria, sem dúvida, estas palavras de outro grande prosador brasileiro, Autran Dourado:

"Não defendo a ignorância dos escritores: deve-se conhecer a gramática, para violentá-la em favor da expressão e do falar e escrever brasileiros."

Mas isso é privilégio dos grandes escritores. Enquanto você não chega a essas alturas, se quiser manter-se dentro das normas da língua escrita culta, não misture os dois tratamentos em trabalhos ou documentos formais.

Faze aos outros o que *queres* que *te* façam.
Faça aos outros o que *quer* que *lhe* façam.
Fazei aos outros o que *quereis* que *vos* façam.
Não faças aos outros o que não *queres* que *te* façam.
Não faça (você) aos outros o que não *quer* que *lhe* façam.
Não façais aos outros o que não *quereis* que *vos* façam.

18. VERBOS IRREGULARES (MAS NEM SEMPRE)

Considera-se REGULAR um verbo quando se conjuga de acordo com um modelo ou paradigma da conjugação a que pertence (p. ex. *amar*, para a 1.ª, *vender*, para a 2.ª, *partir*, para a 3.ª). Será IRREGULAR o verbo que apresenta variações no seu radical ou nas flexões (que se afastam das do seu paradigma).

Na prática, o radical de um verbo se obtém tirando-lhe do infinitivo impessoal as terminações *-ar*, *-er*, *-ir*. Assim, o radical de *cantar* é *cant-*, de *vender* é *vend-* e de *partir* é *part-*.

Para verificar a regularidade ou irregularidade de um verbo, basta comparar-lhe a conjugação com a do paradigma.

A conjugação correta de certos verbos irregulares pode causar sérios embaraços a quem precisa seguir o padrão culto.

Mais de uma vez Joãozinho teve vontade de esconder-se embaixo da carteira quando o professor lhe corrigiu erros desse tipo, como quando escreveu, numa redação: "Quando o sol se *pôr*" (em vez de *puser*). De outra vez cometeu esta barbaridade: "Eu me *entreti* (em vez de *entretive*) com um anzol, enquanto meus colegas nadavam."

Para que não lhe aconteça o mesmo, vou apontar aqui as irregularidades mais frequentes na conjugação.

NA 1.ª CONJUGAÇÃO

É a 1.ª conjugação a que apresenta menos verbos irregulares. Além do auxiliar *estar*, atrás conjugado, extremamente irregular, o verbo *dar* merece atenção no presente do subjuntivo:

que eu *dê*   que nós *demos*
que tu *dês*   que vós *deis*
que ele ou você *dê*   que eles ou vocês *deem*

AGUAR

Observe estas formas do verbo *aguar*:
Presente do indicativo: *águo, águas, água,* aguamos, aguais, *águam.*
Pretérito perfeito simples: *aguei,* aguaste, etc.
Presente do subjuntivo: *águe, águes, águe,* aguemos, agueis, *águem.*

OBS.: Na fala de certas regiões ocorrem as formas *aguo* e *agoo, aguas* e *agoas, agua* e *agoa, aguam* e *agoam* (no presente do indicativo); *ague* (ou *águe*) e *agoe, agues* (ou *águes*) e *agoes, aguem* (ou *águem*) e *agoem* (presente do subjuntivo), que não devem ser usadas na escrita culta.

Seguem a conjugação de *aguar* os verbos *desaguar* e *enxaguar*.

APIEDAR-SE

Este verbo apresenta, mesmo em escritores modernos, no presente do indicativo, no presente do subjuntivo e no imperativo, ao lado das formas regulares, outras com *a* tônico em vez de *e*, por influência do substantivo arcaico *piadade: apiado-me, apiadas-te, apiada-se, apiadam-se;* eu me *apiade,* tu te *apiades,* ele ou você se *apiade,* eles ou vocês se *apiadem; apiada-te, apiade-se, apiadem-se.*

Mas hoje em dia soam-nos estranhas essas formas, e bons escritores têm usado as formas regulares: *apiedo-me,* (você) se *apiede, apieda-te,* etc., que você pode empregar tranquilamente.

APOIAR

Não é irregular; mas é bom lembrar que o ditongo *oi*, com *o* aberto, recebia acento agudo, que foi suprimido pelo novo Acordo Ortográfico:

apoio, apoias, apoia, apoiam;
apoie, apoies, apoie, apoiem.

O mesmo ocorre com *boiar*.
[Lembre-se de que o substantivo *apoio*, com o ditongo *oi*, também não se acentua, e de que a pronúncia do *o* é fechada.]

VERBOS TERMINADOS EM -EAR

Os verbos em -*ear*, como *cear*, *frear*, *passear*, *recear* e numerosos outros apresentam a particularidade de receberem um *i* após o *e* tônico. Mas esse *i*, embora ocorra na pronúncia de outras formas, não se escreve atualmente no uso culto:

ce*i*o, fre*i*o, passe*i*o, rece*i*o
mas
ceamos, freamos, passeamos, receamos;
ce*i*e, fre*i*e, passe*i*e, rece*i*e,
mas
ceemos, freemos, passeemos, receemos.

Dois verbos terminados em -*ear* têm o *e* aberto nas formas rizotônicas ditongadas, e por isso o *e* recebia acento agudo, suprimido no novo Acordo Ortográfico. São *estrear* e *idear*: *estreio, estreias, estreia; estreie, estreies, estreiem. Ideio, ideias,* etc.

VERBOS TERMINADOS EM -IAR

Várias dezenas de verbos terminados em -*iar* são inteiramente regulares, como *adiar, abreviar, apreciar, avaliar, chefiar, comerciar, confiar, criar, desviar, elogiar, enfiar, espiar, iniciar, licenciar, negociar, premiar, saciar, variar,* etc.:

vario, varias, varia, variamos, variais, variam.

[A forma *vareia* é vulgar e não deve ser empregada.]

Meia dúzia de verbos com essa terminação, contudo, afastam-se desse modelo, pois nas formas chamadas *rizotônicas* (em que o acento tônico recai no radical) apresentam *ei* em lugar de *i*. São os seguintes: *ansiar, incendiar, mediar* (e *intermediar*), *odiar* e *remediar*. Veja esta amostra:

ans*ei*o, incend*ei*as, med*ei*a, intermed*ei*am, od*ei*am, remed*ei*am; ans*ei*e, incend*ei*es, med*ei*e, intermed*ei*em, remed*ei*em; ans*ei*a, ans*ei*e, ans*ei*em.

Nas formas não rizotônicas são regulares:

ansiamos, ansiais; remediemos.

MOBILIAR

Os dicionários e manuais de conjugação registram para esse verbo (entre nós geralmente substituído por *mobilhar*), nas formas rizotônicas, o acento tônico no *i* (da sílaba -*bi*-), que se marca na escrita:

mobílio, mobílias, mobília, mobíliam; mobílie, mobílies, mobíliem.

Em Portugal se usa mais a variante *mobilar*.

PERDOAR, MAGOAR E OUTROS

Umas poucas dezenas de verbos terminados em -*oar* são regulares, mas vale a pena lembrar que na escrita o *o* tônico da 1.ª pessoa do singular do presente do indicativo recebia acento circunflexo, abolido pelo novo Acordo Ortográfico: *abençoo, abotoo, atraiçoo, caçoo, coroo, doo, enjoo, ensaboo, magoo, perdoo, voo*, etc. Nas demais formas rizotônicas, embora o *o* tenha timbre fechado, nunca recebeu acento na escrita:

abençoa, perdoa, magoa, voa, etc.

Vários verbos que apresentam encontros consonantais (*ct, gn, pt, ps, tm*, entre outros), como *adaptar, captar, consignar, designar, detectar, dignar-se, eclipsar, impugnar, interceptar, jactar-se, raptar, repugnar, resignar, ritmar* e alguns outros) são regulares; mas convém chamar a atenção para o fato de, como termos de origem culta, manterem em toda a sua conjugação o encontro de consoantes, sem a intromissão de nenhum *i* entre elas, como fazem pessoas sem instrução. São de baixo nível pronúncias (e escritas) como "Eu me *indiguino* (por *indigno*), *ritimo* ou *rítimo* (verbo ou substantivo, em lugar de *ritmo*) e semelhantes.

Fale e escreva certo, portanto:

Não me *adapto* (*a-dap-to*). — Isso me *repugna* (*re-pug-na*). — *Impugno!* (*im-pug-no*). — "Os sons das aves *ritmam* (*rit-mam*) com o marulhar das águas."

Cabe também uma palavra acerca de verbos da 1.ª conjugação em que ocorrem os ditongos *ei* e *ou*, como sejam *descadeirar*(-*se*), *embandeirar*, *empoleirar*, *inteirar*, *maneirar*, *peneirar*, *afrouxar*, *agourar*, *estourar*, *roubar*, e poucos mais. Na fala culta (e, portanto, na escrita), no 1.º grupo, mantém-se o ditongo *ei* em toda a conjugação (se bem que, na fala vulgar de certas regiões, o ditongo se transforma em *é*, quando tônico: ele [*manéra*], ela se [*descadéra*], p. ex.):

maneiro, peneira, Ela se descadeira, Eles se inteiram dos fatos.

Quanto ao segundo grupo, deve-se manter na escrita o ditongo *ou* (embora já esteja praticamente reduzido a *ô*, mesmo na fala culta), evitando-se a pronúncia vulgar com *ó* aberto ([*afróxo*, *róbas*, *estóra*, *agóram*]):

Eu *afrouxo* o cinto; Tu *roubas* teu tempo; A bomba sempre *estoura* na minha mão.

Nos verbos da 1.ª conjugação terminados em -*oar*, *uar*, a 3.ª pessoa do sing. do pres. do indicativo termina em *e* e não em *i* (como acontece com os da 3.ª conjugação):

abençoe, acentue, atenue, perdoe, etc.

Existem alguns verbos regulares da 1.ª conjugação, em que ocorre HIATO cuja 2.ª vogal é *i* ou *u*, e recebem acento agudo quando tônicos. São eles, entre outros pouco usados: *ajuizar, amiudar, arruinar, enviuvar, enraizar, esmiuçar, faiscar, saudar.* Eis uma amostra dessa particularidade meramente gráfica:

ajuízo, amiúdas, arruína, enviúvam, enraízo, esmiúças; faísca, saúdam.

Observe, também, que nos verbos terminados em -*guar* o *u*, pela nova regra do Acordo Ortográfico, não recebe trema ou acento, seja tônico ou átono. Os mais usados são *apaziguar* e *averiguar: apaziguemos, averiguei, apazigue, averigue, averiguem, averiguo, apaziguas, averiguamos, averiguam.*)

E não se esqueça de manter o *i*, na sílaba *di*, em toda a conjugação do verbo *adivinhar*:

adivinho, adivinhava, adivinhei, etc.

NA 2.ª CONJUGAÇÃO

– *Aprazer* (que significa "agradar, causar prazer, ser agradável") quase só se usa na 3.ª pessoa do singular: "Se isto lhe *apraz*"; é irregular no pretérito perfeito do indicativo e nos tempos que dele derivam:

aprouve, aprouvera, aprouvesse, aprouver:
"Façam o que lhes *aprouver*."

– *Caber* tem irregulares: a 1.ª pessoa do singular do presente do indicativo (*caibo*) e todo o presente do subjuntivo, que dela deriva: *caiba, caibas*, etc.; o pretérito perfeito do indicativo e os tempos que o acompanham: *coube, coubeste; coubera; coubesse; couber*.

– Em *crer* e *ler* merece atenção o presente do indicativo: *leio, lês, lê, lemos, ledes, leem; creio, crês, crê, cremos, credes, creem.*

– *Dizer* e seus compostos têm irregulares estas formas: *digo* (e todo o presente do subjuntivo: *diga, digas, digais*, etc.); o pretérito perfeito do indicativo e seus derivados: *disse, disseste; dissera; dissesse; disser*; os dois futuros do indicativo: *direi, diria; predirá, prediria*; e o particípio: *dito.*

– *Escrever* e seus compostos só têm irregular o particípio: *escrito.*

– *Fazer* é irregular: na 1.ª pessoa do singular do presente do indicativo e no subjuntivo: *faço, faça, façais*, etc.; no pretérito perfeito do indicativo e seus seguidores: *fiz, fizeste; fizera; fizesse; fizer*; nos dois futuros: *farei, farias, desfarei, desfarias*; e no particípio: *feito, refeito.*

– *Reaver* (composto de *haver*) só admite as formas em que aparece o *v*: *reavemos, reaveis*, no presente do indicativo; não tem o presente do subjuntivo nem o imperativo negativo; no imperativo afirmativo só se usa a 2.ª pessoa do plural: *reavei*. São irregulares o pretérito perfeito e seus derivados: *reouve, reouveste, reouvera, reouvesse, reouver*. — Observe a ausência do *h*.

– Atente na grafia destas formas de *moer* e *roer*:
moo, móis, mói, moemos, moeis, moem;
roo, róis, rói, roemos, roeis, roem;
moí, moía, roí, roía; moído e *roído*.

– *Perder* tem irregulares a 1.ª pessoa do singular do presente do indicativo (*perco*, que se pronuncia com *e* fechado), o presente do subjuntivo (*perca, percas*, etc.), o imperativo negativo (não *percas*, etc.) e, no imperativo afirmativo, as formas *perca* você, *percamos* nós, *percam* vocês.

– São estas as formas irregulares de *poder*: *posso, possa, possas*, etc.; *pude, pudeste, pôde, pudemos, pudestes, puderam; pudera, puderas*, etc.; *pudesse*, etc.; *puder, puderes*, etc.

– *Precaver*(-se) só se usa nas formas em que a sílaba tônica recai depois do *a*; não tem, portanto, a 1.ª, 2.ª e 3.ª pessoas do singular, a 3.ª pessoa do plural do presente do indicativo, o presente do subjuntivo, o imperativo negativo; no imperativo afirmativo só ocorre a 2.ª pessoa do plural (*precavei-vos*). Em lugar das formas que faltam podem usar-se os sinônimos *acautelar-se* e *precatar-se*. — Observe que *precaver*(-se) não é formado de *ver* (o seu radical é *-cav-*, que significa "prevenir-se, desconfiar, acautelar-se"), e conjuga-se regularmente nas formas usadas: *precavemo-nos, precaveis-vos, precavi-me, tu te precaveste, precavemos-nos, precavestes-vos, precaveram-se; precavera-me*, etc.; *precavido*.

– *Prover*, embora composto de *ver*, só o segue no presente do indicativo (*provejo, provês, provê, provemos, provedes, provêem*), no subjuntivo e no imperativo negativo (*proveja*, etc.) — No pretérito perfeito do indicativo (e nos tempos que dele derivam), ao contrário de *ver*, é regular: *provi, proveste, proveu, provemos, provestes, proveram; provera*, etc.; *provesse*, etc.; *prover, proveres*, etc. É também regular o particípio: *provido*.

– *Querer* é irregular no pretérito perfeito do indicativo e nos tempos que o seguem: *quis, quiseste,* etc.; *quisera,* etc; *quisesse,* etc.; *quiser,* etc. (sempre com *s!*) E no presente do subjuntivo: *queira, queiras,* etc.

– *Requerer,* embora composto de *querer,* não lhe segue as irregularidades: o pretérito perfeito é: *requeri, requereste,* etc. E igualmente: *requerera, requeresse,* etc. — Sua irregularidade é outra: faz *requeiro,* na 1.ª pessoa do singular do presente do indicativo (e, portanto, no presente do subjuntivo: *requeira,* etc.).

– *Saber* tem irregulares as formas: *sei; soube, soubeste, soube, soubemos, soubestes, souberam; soubera,* etc.; *soubesse,* etc., *souber,* etc.; *saiba, saibas,* etc.

– o verbo *ter* (cuja conjugação já apareceu nos verbos auxiliares) possui numerosos compostos que lhe seguem as irregularidades. Atente nestas formas: Eu me *abstive,* ele se *absteve;* se você se *abstiver;* eu me *ative,* ele se *ateve* ao essencial; *detive-me,* ele se *deteve,* eles se *detiveram;* quando eu *obtiver;* eu me *entretinha,* ela se *entretinha;* ele *manteve* a palavra; se você se *mantiver;* ele *reteve,* eles *retiveram.*

– *Trazer,* além da 1.ª pessoa do singular do presente do indicativo (*trago*) e do presente do subjuntivo (*traga, tragas, tragais,* etc.), tem irregulares o pretérito perfeito do indicativo e tempos derivados: *trouxe, trouxeste, trouxe,* etc.; *trouxera,* etc.; *trouxesse,* etc.;

– *Valer* (e seu composto *equivaler*) são irregulares na 1.ª pessoa do singular do pres. do indicativo (*valho*) e seus derivados: *valha, valhas, valhamos, valhais,* etc.; *equivalho, equivalha,* etc.

– Merecem toda a atenção as irregularidades de *ver* e seus compostos. Além do presente do indicativo (*vejo, vês, vê, vemos, vedes, vêem*), do presente do subjuntivo (*veja, vejas, vejais,* etc.), imperativo afirmativo (*vê* tu, *veja* você, *vejamos* nós, *vede* vós, *vejam* vocês), convém observar que o tema *vi,* do pretérito perfeito do indicativo (*vi, viste, viu, vimos, vistes, viram*) permanece nos tempos dele derivados: *vira, viras, víramos, víreis, viram; visse, visses,* etc.; se eu *vir,* se tu *vires,* se ele ou você *vir,* se nós *virmos,* se vós *virdes,* se eles ou vocês *virem.* Muitos pensam que estas formas são do verbo *vir*, que, porém, apresenta no perfeito o radical -*vie*- (*vim, vieste; vieram; viesse; vier*). V. entre os irregulares da 3.ª conjugação.

– Para terminar a 2.ª conjugação, não se pode deixar de falar no verbo *pôr* (e seus numerosos compostos). Você talvez estranhe: — Verbo *pôr* da 2.ª conjugação?! Mas não termina em -*er*! Não será da 4.ª?...
As aparências iludem: o verbo *pôr* é anômalo, isto é, superirregular, já que perdeu, no infinitivo, a vogal *e*, característica da 2.ª conjugação (as formas arcaicas foram *põer*, do latim *ponere*, e *poer*, que foi substituída pela atual). Mas conserva esse mesmo *e* em vários tempos da sua conjugação: *puseste, pusemos, puseram, pusesse, puser* (tal como *quiseste, quisemos, quiseram, quisesse, quiser*, do verbo *querer*, também da 2.ª conjugação). Lembre-se: esse *e*, VOGAL TEMÁTICA, é que indica a conjugação de um verbo. Veja o que dissemos sobre a vogal temática à p. 91.

E olho vivo na sua conjugação, muito irregular: No **indicativo** são irregulares estes tempos:

Presente: *ponho, pões, põe, pomos, pondes, põem*.
Imperfeito: *punha, punhas, punha, púnhamos, púnheis, punham*.
Perfeito: *pus, puseste, pôs, pusemos, pusestes, puseram*.
Mais-que-perfeito: *pusera, puseras, pusera, puséramos, puséreis, puseram*.

E no *subjuntivo*:

Presente: *ponha, ponhas*, etc. Imperfeito: *pusesse, pusesses*, etc.
Futuro: *puser, puseres,... puserdes, puserem*.
Imperativo afirmativo: *põe, ponha, ponhamos, ponde, ponham*.
Imperativo negativo: não *ponhas*,... não *ponhais*, etc.
Particípio: *posto*.

Como *pôr* se conjugam os numerosos verbos dele formados: *compor, dispor, expor, impor, propor, repor, transpor*, etc.

NA 3.ª CONJUGAÇÃO

– *Abrir* e seus compostos têm o particípio irregular: *aberto, reaberto.*

– *Cobrir* e compostos também têm particípio irregular: *coberto, descoberto, encoberto, recoberto.* — Além disso, na 1.ª pessoa do singular do presente do indicativo em vez de *o* surge um *u*: *cubro, descubro.* E, como é de praxe, esse *u* se mantém no presente do subjuntivo: *cubra, descubra.*
Aliás, há outros verbos da 3.ª conjugação em que se dá essa mudança de o em *u*: *dormir, engolir, tossir* (*durmo, engulo, tusso*).
Outros verbos, com *u* na sílaba antes da tônica do infinitivo e na 1.ª pessoa do singular do presente do indicativo, têm *o* nas demais pessoas: *acudir, bulir, entupir, fugir, subir, sumir;* (*acudo, acodes; bulo, boles; entupo, entopes; fujo, foges; subo, sobes; sumo, somes*).
Ainda outros, bem numerosos, como *ferir,* que têm *e* na pretônica do infinitivo, mudam esse *e* em *i*: *aderir, advertir, competir, conferir, despir, digerir, divergir, divertir, expelir, inserir, investir, mentir, preferir, preterir, proferir, prosseguir, refletir, repelir, repetir, seguir, sentir, servir, sugerir, transferir, vestir,* entre outros menos usados. Eis uma amostra:

adiro, aderes, adira; compito, competes, compita; dispo, despes, dispa; divirjo, diverges, divirja; expilo, expeles, expila; ingiro, ingeres, ingira; insiro, inseres, insira; invisto, investes, invista; pretiro, preteres, pretira; repilo, repeles, repila; sugiro, sugeres, sugira.

O verbo *frigir,* que também segue esse modelo, modernamente mostra uma tendência acentuada em se conjugar regularmente: *frijo, friges* (e não *freges*), etc.
Já uns poucos verbos, como *agredir, cerzir, prevenir, progredir, regredir, transgredir,* trocam o *e* do radical em *i* nas formas em que o acento tônico recai no radical (chamadas rizotônicas):

agrido, agrides, agride, agrida; cirzo, cirzes, cirze, cirza; previno, prevines, previna; progrido, progrides, progrida; regrido, regrides, regrida; transgrido, transgrides, transgrida.

– *Polir* muda o *o* em *u* nas formas rizotânicas: *pulo, pules, pule, polimos, polis, pulem.*

– Os verbos *construir* e *destruir* admitem as formas regulares *construis, construi, construem, destruis, destrui, destruem*, cada vez menos usadas em favor de *constróis, constrói, constroem, destróis, destrói, destroem*, praticamente as únicas vivas hoje em dia.

– *Medir, pedir* (e compostos) apresentam irregulares a 1.ª pessoa do singular do presente do indicativo e as formas dele derivadas: *meço, meça; peço, peça; impeço, impeça*, etc.

– *Ouvir* tem irregularidade idêntica: *ouço, ouça*, etc.

– Um verbo anômalo da 3.ª conjugação é *ir*, que apresenta nada menos que três radicais diferentes: *va-* (e variante *vo-*), *i-* e *fo-* (variante *fu-*):

vou, vais, vai, vamos, **ides**, *vão; ia, ias,* etc.; *fui, foste, foi, fomos, fostes, foram; fora, foras,... fôreis,* etc.; *vá, vás, vá, vamos,* **vades**, *vão; fosse, fosses,* etc.: *for, fores,... fordes,* etc.

– Finalmente, entre os irregulares da 3.ª conjugação, o verbo *vir*, que apresenta várias particularidades dignas de nota, extensivas aos dele formados:

no presente do indicativo é erro comum trocar a 1.ª pessoa do plural, *vimos*, por *viemos*, que é do pretérito perfeito; atente também na grafia da 3.ª pessoa do plural: eles *vêm*;
o pretérito perfeito apresenta o radical *-vie-*, que vai ocorrer nos tempos derivados: *vim, vieste, veio, viemos, viestes, vieram; viera, vieras,* etc.; *viesse,* etc.; *vier,* etc.;
outra peculiaridade é ter iguais o gerúndio e o particípio, *vindo*: está *vindo* (= está *chegando*), tinha *vindo* (= tinha *chegado*).

Não quero terminar sem uns lembretes ortográficos:

– *arguir* e *redarguir* têm o *u* proferido em toda a conjugação, o qual prescinde do acento agudo quando seguido de *e* ou *i*, quando tônico: *arguis, argui, arguem*; e do trema quando átono: *arguimos, arguis; arguia, arguias,* etc.; *argui, arguiste, arguiu,* etc.; *arguira,* etc.; *arguirei, arguiria,* etc.; *arguisse,* etc.; *arguir, arguires,* etc.;

– não se esqueça de acentuar o *i* em hiato (quando só na sílaba ou seguido de *s*), em verbos como *atrair, atribuir, afluir, cair, concluir, constituir, diluir, diminuir, distribuir, evoluir, excluir, extrair, fluir, fruir, incluir, influir, instruir, obstruir, poluir, possuir, proibir, recair, reunir, restituir, retribuir, sair, substituir, trair*, etc. Veja uma pequena amostra:

atraí, atraías (mas *atraiu*), *atraíra, atraísse; distribuísse* (mas *distribuiu*), *concluído, fluído* (diferentemente do substantivo *fluido*), *incluí* (mas *incluiu*), *incluía, incluísse, incluído; proíbo, proíbes, proíba, reúno, reúnes, reúne, reúna*, etc. Observe que a 3.ª pessoa do singular do presente do indicativo termina em *i*, e não em *e* (como acontece com os verbos da 1.ª conjugação): *atrai, atribui, cai, conclui, constitui, diminui, evolui, inclui, retribui, sai, influi, possui.*

Acredito que você, depois desta enxurrada de verbos, muitos deles irregulares, há de ter enriquecido bastante o seu conhecimento, diminuindo suas ocasiões de erro.

NA LÍNGUA TAMBÉM HÁ COMANDANTES E COMANDADOS

19. REGENTES E REGIDOS: A CONCORDÂNCIA

Nem todos os termos, numa oração, têm o mesmo valor: há uma hierarquia, com termos PRINCIPAIS (REGENTES, SUBORDINANTES) e termos DEPENDENTES (REGIDOS, SUBORDINADOS).

Esse conjunto formado de um termo regente e de um termo regido, para os linguistas, é um SINTAGMA. Assim:

1. Numa oração, onde geralmente ocorrem um sujeito e um predicado, o sujeito é o termo regente, o predicado o termo regido. É por ser regente que o nome ou pronome sujeito obriga o verbo a acompanhar-lhe as flexões, o que se estuda na CONCORDÂNCIA VERBAL: sujeito no singular — verbo no singular; sujeito no plural — verbo no plural:

"*Eu* | não *sou* poeta." — "*Vós* | *sois* a esperança do futuro." "*Meu pai* | *adorava*-me." — "*Os parentes* | *dividiam*-se."

2. Num grupo nominal, o substantivo é o termo regente, o adjetivo (nome ou pronome) é o termo regido, e por isso o substantivo comanda a flexão do adjetivo: substantivo no

masculino — adjetivo no masculino; substantivo no feminino — adjetivo no feminino; substantivo no singular — adjetivo no singular; substantivo no plural — adjetivo no plural. Esses fatos se estudam na CONCORDÂNCIA NOMINAL. Ex.:

dia / bonito — *noite* / fria — *solos* / fecundos — *terras* / produtivas.

3. Nas relações entre os vários termos da oração formam-se grupos (ou sintagmas) com as mesmas características: um termo regente, outro termo regido. Assim, o verbo é regente em relação ao seu complemento ou ao seu adjunto:

a) encontrar o caminho;
b) atinar *com* o caminho;
c) ir *a* São Paulo *de* avião.

Aqui estamos diante da REGÊNCIA VERBAL: o verbo *encontrar* é transitivo direto, e seu complemento, o objeto direto, não é introduzido por preposição. Já o verbo *atinar*, transitivo indireto, exige a preposição *com*. No 3.° exemplo ocorre o verbo *ir*, acompanhado do complemento *a São Paulo*, de valor adverbial (pois indica LUGAR), indispensável para completar-lhe o sentido, com a preposição *a*, e o adjunto (também adverbial, pois indica o MEIO) *de avião*, não necessário à sua significação.

Um dos capítulos mais importantes da regência é o estudo da PREDICAÇÃO VERBAL, que se preocupa em analisar se o verbo, numa oração, possui ou não complementos, se estes são regidos ou não de determinada preposição.

É conveniente saber, por exemplo, que na regência do verbo *contentar-se* admitem-se as preposições *com*, *de* e *em*. Camões escreveu num soneto célebre:

"Os dias, na esperança de um só dia,
Passava, contentando-se *com* vê-la".

E Machado de Assis, no seu romance *Quincas Borba*:

"Gosta de ser amado. Contenta-se *de* crer que o é."

E o grande prosador português Eça de Queirós:

"Contentam-se *em* comer uma azeitona."

4. O que se disse da regência dos verbos aplica-se também aos nomes (substantivos e adjetivos): muitos deles, especialmente quando da mesma família de verbos transitivos, têm complementos regidos de determinadas preposições.

É o caso, por exemplo, de *contente*, cognato de *contentar--se*, cujo complemento pode ser introduzido pelas preposições *com*, *de*, *em* e *por*:

"Riu, contente *com* a notícia." (Afrânio Peixoto)
"Luísa, muito contente *da* afabilidade de Basílio, pôs--se a rir." (Eça de Queirós)
"contente *do* meu apoio" (M. de Assis)
"...contente *em* saber que possuía propriedade de tamanho valor." (Medeiros e Albuquerque) "Estou contente *por* te ver onde desejas estar." (Antero de Figueiredo)

5. Nas relações entre orações, a marca da regência, da subordinação pode ser uma preposição, uma conjunção subordinativa, um pronome relativo:

"Bateu uma tempestade, *de* desnortear bicho do mato." (Ruth Guimarães)
[A oração iniciada pelo *de* é subordinada.]

[Poderia também usar-se a conjunção *que* para introduzir a oração subordinada (que terá o verbo no indicativo): "Bateu uma tempestade, *que* desnorteava bicho do mato."]

"Descobrira um quarto escondido, *onde* se guardavam velharias."

Certas vezes é simplesmente a ENTOAÇÃO ASCENDENTE a marca subordinativa:

"Morreu, enterra." [= Já que morreu"] (Ruth Guimarães, no conto "Biguá", em *Água Funda*).

6. Pode ainda a regência entre dois termos ser estabelecida pela POSIÇÃO ou COLOCAÇÃO. Assim, num grupo nominal, em nos-

sa língua, é a anteposição que indica a natureza de substantivo de um nome, e portanto o seu valor de regente, principal, em relação ao termo posposto, adjetivo, e nesse caso regido, subordinado.

Machado de Assis, no capítulo I do seu romance *Memórias Póstumas de Brás Cubas*, faz um jogo de palavras com base nesse fato:

"Eu não sou propriamente um *autor defunto*, mas um *defunto autor*."

[Na primeira ocorrência, *autor* é substantivo, e portanto nome principal, regente, e *defunto* é adjetivo, adjunto, regido: trata-se de um autor já falecido; na segunda, invertem-se os dados: alguém já falecido, um *defunto* (substantivo), de além--túmulo, escreve um livro, toma-se *autor* (adjetivo).]

7. É ainda um caso de comando, de regência, portanto, a obrigatoriedade de correspondência, isto é, de concordância dos tempos verbais.

"Se *estiver* vivo, *vem* (ou *virá*) no meu rastro."

Compare:

"Se *estivesse* vivo, *vinha* (ou *viria*) no meu rastro."

Depois desta série de considerações e exemplos, você pode dizer que já tem uma noção razoável do que seja, na linguagem, a **regência** — importante elemento caracterizador da estrutura de uma língua: é a marca de dependência de um termo ao seu principal.

Num sentido mais restrito, podemos dizer que a regência é a propriedade que têm certos termos de exigirem determinado complemento para sua perfeita compreensão.

O estudo da regência é essencial para a correção da linguagem em três campos diferentes:
1. na CONCORDÂNCIA de certos termos com outros;
2. na REGÊNCIA (*stricto sensu*), ou seja, na exigência, ou não, de determinado tipo de complemento;

3. na ordem ou COLOCAÇÃO de certos termos na oração.

A CONCORDÂNCIA

No primeiro caso — a concordância —, a regência se faz pela acomodação das FLEXÕES do termo dependente às do principal.

Se o termo subordinado é nome, pronome, numeral ou artigo, a concordância se diz NOMINAL:

"*Lua* mans*a*, / *pedaço* perdid*o* / d*o anel* partid*o* / de algum*a esperança.*" (Cecília Meireles)

Se é um verbo, a concordância se diz VERBAL:

"*Eu* cant*o* porque o *instante* exist*e* / e a minha *vida* est*á* completa."

Há dois tipos gerais de concordância:
1. concordância GRAMATICAL (ou LÓGICO-FORMAL), em que se obedece às normas da gramática e da lógica, como nos exemplos acima;
2. concordância ESTILÍSTICA (ou EXPRESSIVA), em que ocorrem desvios, motivados por fatores de ordem não gramatical, mas psicológica.

A CONCORDÂNCIA GRAMATICAL

São muito simples os preceitos gerais da concordância gramatical:

NOMINAL

1. O adjetivo, na função de adjunto adnominal ou de predicativo, o artigo, o pronome ou numeral adjetivo, concordam em gênero e número com o substantivo ou pronome a que se referem:

"Mal percebi o **rostinho** *moreno*, as **tranças** *negras*, os **olhos** *redondos* e *luminosos*." (Graciliano Ramos)
"Se **ela** estivesse *próxima*... Considerei-a mais *perfeita* que as moças do folhetim." (Idem)

"**Perguntas** e **respostas** afluíam *claras*." (Idem)
"*Seu* **pai** foi *generoso.*" (Machado de Assis)
"*A* **palavra** saía-lhe mais *fácil, seguida* e *numerosa.*" (Idem)

2. Dois ou mais substantivos do **mesmo gênero** no **singular** equivalem a um do mesmo gênero no **plural**, e para o plural vai geralmente o adjetivo que lhes diz respeito:

   vinho e pão *fartos;*
   "A soberba, a luxúria, a preguiça foram *reabilitadas.*"
   (Machado de Assis)

3. Dois ou mais substantivos **de ambos os gêneros** no **singular** equivalem a um **masculino plural**, gênero e número que toma geralmente o adjetivo referente:

   "Tinha a cabeça rachada, uma perna e o ombro *partidos.*" (Machado de Assis)

Veja-se, a propósito deste tipo de concordância, o capítulo "O machismo na linguagem".

VERBAL

a) **Com sujeito simples**:

O verbo concorda em **número** e **pessoa** com o substantivo ou pronome que lhe serve de sujeito:

   E **eu** *olho* a esteira azul celeste
   que me *anuvia* o olhar tristonho:
   Ai, meu amor, **tu** bem *disseste*:
   há uma mentira em cada sonho."
   (Henriqueta Lisboa)

   "**Nós** *estaremos* na morte
   com aquele suave contorno
   de uma concha dentro da água."
   (Cecília Meireles)

"*Olhai*, **vós**, os condenados,
a grande sombra **que** *avança*."
(Idem)

"Melhor negócio que Judas
fazes **tu**, Joaquim Silvério:
que **ele** *traiu* Jesus Cristo,
tu *trais* um simples alferes."
(Idem)

b) **Com sujeito composto:**

1. Dois ou mais substantivos no singular equivalem a um no plural:

"A **chuva** e o **sol** *vinham* do céu." (Graciliano Ramos)
"O **amor** e a **fome** *governam* este mundo." (Machado de Assis)

2. Se no sujeito houver uma 1.ª pessoa, o verbo irá para a 1.ª do plural:

Eu, tu e Maria *viveremos*.

3. Se no sujeito houver 2.ª e 3.ª pessoas, o verbo irá para a 2.ª do plural:

"Quando **tu** e os teus *fordes* nos fossos." (Castro Alves)

OBS.: Como veremos adiante, apesar de rigorosamente gramatical e lógica, essa concordância está cada vez mais fora de uso.

A CONCORDÂNCIA ESTILÍSTICA

A concordância não gramatical ou **estilística** se efetua sobretudo em virtude de três fatores, que passamos a examinar.

a) **Concordância por atração**

A presença de um termo atraente, que se sobrepõe psicologicamente ao verdadeiro termo subordinante, arrasta para sua esfera de ação o termo subordinado — é a concordância **por atração** ou **posicional**:

"Viu um **casal** de **noivos**, na flor da vida, que se *debatiam* já com a morte." (Machado de Assis)

[O verbo, em vez de concordar com o singular *casal*, núcleo do objeto direto, concorda com *noivos*, seu adjunto, palavra mais importante, para o autor.]

"Lá embaixo *está* o **mar**, os rochedos e a espuma." (Augusto Frederico Schmidt)

[Em lugar de se fazer a concordância do verbo no plural, com o sujeito composto, prevaleceu o termo mais próximo, *mar*.)]

Sempre houve na língua, e continua a haver, a tendência para que a concordância se faça com o termo mais próximo, o que se acentua quando a construção se faz em ordem inversa — anteposição do adjunto adnominal aos substantivos, ou do verbo ao sujeito composto:

Com *sincera* **admiração** e apreço;
Com *sincero* **apreço** *e* admiração.

Mas:

Com admiração e apreço *sinceros*.

Mesmo posposto o adjetivo, encontra-se também a concordância com o substantivo mais próximo:

Com admiração e **apreço** *sincero*;
Com apreço e **admiração** *sincera*.

Serenava a **bravura** e cólera **acesas** na próxima luta."
(J. de Alencar)

"*Voou* meu **amor**, minha *imaginação*." (C. Meireles)

É a **atração** do plural de um **predicativo** que leva ao plural o verbo de um sujeito no singular:

"O perigo *seriam* as febres." (Gilberto Amado)

b) **Concordância pelo sentido**

Outras vezes o sentido nos faz relacionar o termo regido não com seu regente expresso na oração, mas com uma *ideia* que dele temos, implícita em nossa mente — é a concordância **ideológica**, chamada **silepse** ou **sínese**, que pode fazer-se em gênero ou em número:

"Então de uns tempos para cá, parece que essa gente está doida; *botam* abaixo, *derrubam* casas, *levantam* outras, *tapam* umas ruas, *abrem* outras... *Estão doidos!!!*" (Lima Barreto)

[A *ideia* de plural contida no coletivo feminino *gente* (= muitos *homens*) leva ao plural os verbos da 2.ª e 3.ª frases, e, por influência do termo *homens*, subjacente no espírito do autor, o adjetivo *doidos* está no masculino plural.]

"O que me parece inexplicável é que os **brasileiros persista***mos* em comer sem quase nenhum deleite essa coisinha verde e mole que se derrete na boca sem deixar vontade de repetir a dose." (Manuel Bandeira)

A expressão "*os brasileiros*" corresponde a uma 3.ª pessoa do plural; mas o verbo foi para a 1.ª pessoa do plural em virtude da presença mental do pronome *eu*, que leva o autor a incluir-se entre aqueles.

Ou ainda a concordância com os pronomes de tratamento formalmente femininos, como *V.S.ª*, *V. Ex.ª*, que se faz com o sexo da pessoa, que se tem em mente:

"V. Ex.ª tem sido muito *generoso*."

É a ideia do pronome de tratamento *vocês*, usual em vez do esquecido *vós*, que leva à 3.ª pessoa o verbo quando concorrem no sujeito composto a 2.ª e a 3.ª pessoa:

"Espero que **tu** e **todos** em casa *estejam* bem." (e não *estejais*).

"A linguagem corrente evita uma sintaxe como *tu e ele* **partireis** *amanhã*, para adotar apenas *tu e ele* **partirão** amanhã. Nesse caso, temos a equação *tu* + *ele* = *vocês, os senhores, os dois, todos*." São palavras do Mestre Martins de Aguiar que subscrevemos.

Neste verso de Cecília Meireles intervém ainda a proximidade do substantivo *estrelas*:

"Não me *interessam* mais nem as estrelas, nem as formas do mar, nem **tu**."

O fato de se englobar mentalmente num só todos os componentes do sujeito pode levar para o singular o verbo:

"Nem **tormenta** nem **tormento** nos *poderia* parar." (Idem)

c) **Concordância afetiva**

A emoção e afetividade podem impregnar a linguagem dos sentimentos que nos dominam, fazendo-nos abandonar as normas da concordância — que passa a ser **afetiva**.

Dos mais frequentes é o caso do emprego da 1.ª pessoa do *plural*, por modéstia (real ou falsa), em lugar da 1.ª do singular:

"Dentro dessa linha geral de pensamento foi que **nos aventuramos** a este trabalho, que útil nos parece aos estudos estilísticos da língua portuguesa." (Jesus Belo Galvão)

Outro caso interessante de sintaxe afetiva é a mudança de tratamento de uma frase para outra, quando nos dominam e agitam sentimentos variados. Quincas Borba, personagem meio alienado de Machado de Assis, dirige uma carta ao seu amigo Rubião:

"Meu caro **senhor** e amigo,
Você há de ter estranhado o meu silêncio. Não **lhe** tenho escrito por motivos particulares [...]
Ouça, ignaro [...]: **ouça** e **cale-se**. [...]
Adeus, ignaro. Não **contes** a ninguém o que **te** acabo de confiar, se não **queres** perder as orelhas. **Cala-te, guarda** e **agradece** a boa fortuna de ter por amigo um grande homem, como eu, embora não me **compreendas**."

O autor começa usando um tom algo cerimonioso (*senhor*), passa depois para *você* e, no último parágrafo realça a intimidade com o tratamento *tu*.

20. O PRONOME *SE* E A CONCORDÂNCIA

Muitos embaraços à correção da linguagem causa esta palavrinha — o *se* —, especialmente à concordância.

Acontece que esse minúsculo saci pula facilmente de uma função a outra, embaraçando muito escritor que não tenha leitura abundante dos mais tarimbados que o precederam, ou que rejeite como inúteis uns rudimentozinhos de gramática...
Para evitar pedrinhas e tropeços no seu caminho de escritor correto, lanço aqui umas *noções preliminares* bem simples, lembrando-lhe que sem um pouquinho de esforço não se conseguem bons resultados, pois, como diz a sabedoria popular, "Não se pescam trutas a bragas enxutas"... [*braga* é o nome antigo de um tipo de calção].

NOÇÕES PRELIMINARES

Voz ativa e voz passiva

Numa oração construída com um verbo de ação, há um nome que exprime o executor — o AGENTE — e pode haver outro nome que indica o ser que recebe (ou sofre) o resultado da ação — o PACIENTE.
Na chamada voz ATIVA, o agente é o SUJEITO da oração e o paciente o OBJETO DIRETO. Observe estes exemplos:

SUJEITO-AGENTE	AÇÃO	OBJETO DIRETO-PACIENTE
Graciliano Ramos	escreveu	*Vidas Secas*.
Fabiano	castigou	o filho.
Baleia	caçou	um preá.
O fogo	queimou	a palhoça.
O menino	imitava	o pai.
Um halo cor de leite	cercava	a lua.
O vento	sacudia	as árvores.
O vento	desfez	as nuvens.
Admiradores	cercaram	a atriz.

Tanto o sujeito quanto o objeto podem ser expressos por pronomes:

Ele castigou o filho.
Ele castigou-*o*.
Todos o abandonavam.
Ela despertou-*os*.
Ela sacrificara o papagaio.
Ela o sacrificara.

Noutro tipo de construção, em que se usa o verbo *ser* (às vezes *estar* ou *ficar*) e um particípio, o objeto-paciente transforma-se em sujeito, e o agente-sujeito passa a ser precedido da preposição *por* (mais raramente *de*), e então diz-se que a oração está na VOZ PASSIVA:

SUJEITO-AGENTE	AÇÃO	OBJETO DIRETO-PACIENTE
Vidas Secas	foi escrito	*por* Graciliano Ramos.
A palhoça	foi destruída	*pelo* fogo.
A lua	estava cercada	*de* um halo cor de leite.
As árvores	eram sacudidas	*pelo* vento.
O papagaio	fora sacrificado	*por* ela.
A atriz	ficou cercada	*de* admiradores.

Muitas vezes, se não houver interesse nisso, na oração passiva não se declara o agente:

A palhoça foi destruída.
As árvores eram sacudidas.
O filho foi castigado.
As nuvens foram desfeitas.
O papagaio fora sacrificado.

É muito comum, em nossa língua, a inversão da ordem na voz passiva:

Foi destruída a palhoça.
Fora sacrificado o papagaio.

Construções da voz ativa com *SE*:

I. Reflexiva

Um agente pode executar um ato sobre outro ser, e esse fato se exprime na voz ativa:

> O cabeleireiro penteava a atriz.
> Ele te penteava.
> O guarda-vidas salvou-os.

O sujeito e o objeto, neste caso, são de pessoas gramaticais diferentes. Mas também pode — e essa construção é que nos interessa agora — executar um ato SOBRE SI MESMO: é a construção REFLEXIVA:

> Eu me barbeio.
> Tu te recolhes muito cedo.
> Ela se penteava.
> Ele mesmo se barbeia.
> Nós nos hospedamos na pousada.
> Eles se salvaram a nado.

São DOIS pronomes — um sujeito, outro objeto direto — DA MESMA PESSOA GRAMATICAL.
E o verbo varia de acordo com a pessoa do sujeito.

II. Recíproca

Vários agentes podem executar o mesmo tipo de ações sobre si mesmos: é a construção RECÍPROCA:

> Carlos e a Joaninha amam-se.
> Ele e ela se abraçaram.
> Os meninos se engalfinharam.
> Os desafetos se reconciliaram.
> Embora irmãos, não se conheciam.

Como o sujeito, neste caso, tem mais de um agente, o verbo vai necessariamente para o plural.

Como a construção recíproca pode confundir-se com a reflexiva, pois em ambas se emprega um pronome da mesma pessoa do sujeito, usam-se, para evitar ambiguidade, certas expressões pleonásticas, como *um ao outro, uns aos outros, mutuamente*:

> Elas *se* penteavam vagarosamente. (Reflexiva: cada uma se penteava a si própria.)
> Elas *se* penteavam *uma à outra*. (Recíproca.)

III. Aparentemente reflexiva

Em alguns casos, a construção pronominal indica não reflexividade, mas que um agente qualquer, diferente do sujeito, obteve o mesmo resultado que o sujeito teria obtido executando determinado ato sobre si próprio:

> *Eu me barbeio* diariamente com um barbeiro português. (Eu sou barbeado por outra pessoa.)
> Elas *se* penteiam no salão Vogue. (Outra pessoa as penteia.)

O verbo, como sempre, concorda com o sujeito.

IV. Adventícia

Lembremos inicialmente que *adventício* quer dizer casual, inesperado, que advém, isto é, que acontece ou ocorre eventualmente, acidentalmente.

Às vezes se emprega a forma reflexiva não para exprimir um ato que o sujeito executa sobre si mesmo, mas que nele se efetua algo adventício, um fenômeno, uma mudança, um transtorno:

> As frutas *se* estragaram com o calor (ficaram estragadas).
> As chamas *se* extinguiram (ficaram extintas).
> A neve *se* desfez (ficou desfeita).
> À morte de Jesus, os sepulcros *se* abriram e rasgou-*se* o véu do templo.
> As cordas do andaime *se* romperam.
> A memória *se* perde com os anos.
> As paixões *se* adormecem com as ocupações.
> As névoas *se* dispersam com os raios de sol.
> As rosas *se* abriram pela manhã.
> A fumaça *se* eleva em espirais.

Essas construções de sentido adventício equivalem muitas vezes a uma construção com o verbo *ficar* mais o particípio do verbo (ou um adjetivo do mesmo radical).

> As ruas *se* esvaziaram. (Equivale a "ficaram vazias")
> A praia *se* encheu de gente. (É o mesmo que "ficou cheia")
> Os sentidos *se* embotam na inação. (Diz praticamente o mesmo que "ficam embotados")

Neste caso podem enquadrar-se as construções com verbos essencialmente pronominais, ou seja, que não dispensam o pronome:

> Ela *se arrependeu* tardiamente. (= "ficou arrependida")
> Ele *condoeu-se* do estado deles. (= "ficou condoído")
> Ela *se zanga* à toa. (= "fica zangada")
> Elas *queixavam-se* da sorte.
> Ele *absteve-se* de votar.
> Eles *se equivocaram*.

Pode dizer-se, em princípio, que o adventício exprime o que ocorre nas coisas, e o meramente pronominal o que ocorre nas pessoas.

E sempre o verbo concordando com o seu sujeito.

O se indicador de sujeito indeterminado

O pronome *se*, na evolução da língua, passou a usar-se, com verbos não transitivos diretos, na 3.ª pessoa do singular para indicar que a oração não possui sujeito determinado:

> Também *se morre* de amor. (Quer dizer: há pessoas que morrem de amor)
> *Precisa-se* de vendedoras. (= Há necessidade de vendedoras no estabelecimento)
> Nunca *se é* excessivamente bom. (O *se* corresponde aproximadamente a *alguém, uma pessoa*)
> De uma hora para outra *se está* no oco do mundo. (Idem)
> *Vive-se* bem aqui. (Qualquer pessoa vive)
> Já não se falava, *gritava-se*. (Todos gritavam)

O se indicador de voz passiva

Um verbo transitivo direto, já o vimos, admite uma construção denominada VOZ PASSIVA, em que se utiliza, no mais das vezes, o auxiliar *ser* seguido pelo particípio do verbo principal; e que é usual, nessa construção, a ordem inversa (primeiro o verbo, depois o sujeito-paciente) e a omissão do agente:

1. *Foi anunciada* uma desgraça.
2. Hoje *será feita* a última prova do concurso.
3. Ontem *foi realizada* uma grande manifestação pelas eleições diretas.
4. *Foi publicado* mais um livro de Carlos Drummond de Andrade.
5. *Ficam revogadas* as disposições em contrário.
6. *Será ampliado* o número de salas de aula.
7. Não *foi esclarecido* o "crime da mala".
8. *Foram enviados* milhares de telegramas ao Presidente.
9. *É ignorado* qual o autor desse livro.
10. *Foi falsificado* o uísque escocês.
11. No Brasil já *são fabricados* minicomputadores.

Ora, para indicar a voz passiva, a língua portuguesa dispõe de outra construção, mais leve e mais breve, com o verbo na mesma forma da voz ativa, e (como não poderia deixar de ser...) com o pronome *se*. Compare:

1. *Anunciou-se* uma desgraça.
2. Hoje *se fará* a última prova do concurso.
3. Ontem *se realizou* uma grande manifestação pelas eleições diretas.
4. *Publicou-se* mais um livro de C.D.A.
5. *Revogam-se* as disposições em contrário.
6. *Ampliar-se-á* o número de salas de aula.
7. Não *se esclareceu* o "crime da mala".
8. *Enviaram-se* milhares de telegramas ao Presidente.
9. *Ignora-se* qual o autor desse livro.
10. *Falsificou-se* o uísque escocês.
11. No Brasil já *se fabricam* minicomputadores.

Ora, como o sujeito dessas orações de voz passiva vem muitas vezes depois do verbo, o falante confunde a voz passiva com a indicação de sujeito indeterminado: o sujeito-paciente é tomado como objeto-paciente; e, quando no plural, o verbo, que devia ir também para o plural, é deixado no singular, numa tendência bastante natural, mas que contraria a longa tradição da língua escrita culta.

Se você quer, então, manter-se dentro do que é considerado correto na norma culta padrão, não pode confundir as construções do *se* indicador de sujeito indeterminado em que o verbo fica sempre no singular — com aquelas outras em que o *se* exprime voz passiva, em que o verbo irá para o plural se o seu sujeito, quase sempre posposto, estiver no plural.

Observe os exemplos atentamente, e assim você estará livre de errar:

1. Anunciou-se a reforma.	1. Anunciaram-se reformas.
2. Amanhã se fará a última prova.	2. Amanhã se farão as últimas provas.
3. Publicou-se novo livro de Jorge Amado.	3. Publicaram-se novos livros de Jorge Amado.
4. Revogou-se a lei.	4. Revogaram-se as leis.
5. Ampliar-se-á o número de vagas.	5. Ampliar-se-ão as vagas.
6. Realizou-se grande manifestação.	6. Realizaram-se grandes manifestações.
7. Esclareceu-se mais um crime.	7. Esclareceram-se outros crimes.
8. Enviou-se um telegrama.	8. Enviaram-se telegramas.
9. Ignora-se o autor deste livro.	9. Ignoram-se os autores destes livros.
10. Aquele livro imprimiu-se em 1495.	10. Aqueles livros imprimiram-se em 1495.
11. Falsificou-se a bebida.	11. Falsificaram-se as bebidas.

12. Fabricou-se um novo computador.	12. Fabricaram-se novos computadores.
13. Preparava-se um esquema diferente.	13. Preparavam-se esquemas diferentes.
14. Só se conhece uma saída.	14. Só se conhecem duas saídas.
15. Conservava-se o alimento no gelo.	15. Conservavam-se os alimentos no gelo.
16. Definiu-se o objetivo da lei.	16. Definiram-se os objetivos da lei.
17. Rememora-se a data.	17. Rememoram-se as datas.
18. Recuperou-se a mercadoria.	18. Recuperaram-se as mercadorias.
19. Fechou-se a porta.	19. Fecharam-se as portas.
20. Emitiu-se um parecer decisivo.	20. Emitiram-se pareceres decisivos.

21. O MACHISMO NA LINGUAGEM: A CONCORDÂNCIA NOMINAL

O preconceito de que a mulher é naturalmente dependente do homem (e inferior a ele) tem sua origem, sem dúvida, no episódio bíblico que narra ter sido uma costela de Adão a matéria-prima de que Deus criou Eva.

A metade feminina do *Homo sapiens* sempre teve papel subalterno na História — escrita por homens, aliás.

Não apenas a Bíblia, mas também o Talmude — e não esqueçamos que ambos foram escritos por homens... nos fornecem inúmeros exemplos de discriminação contra a mulher.

Desde Lilith (do Talmude) — a Lua Negra, que teria sido a primeira mulher de Adão e que, por não ter querido submeter-se a ele, saiu do paraíso para regiões ignotas e é tratada como um espírito infernal feminino, uma "diaba noctívaga" incorporada ao folclore de certos povos...

Mas o que importa agora é mostrar que esse preconceito, velhíssimo mas nem por isso menos injusto, se revela em todos os campos em que o homem vem imperando através dos séculos, e tem guarida até na linguagem.

Nos provérbios — cuja fonte, dizem os homens, é a sabedoria popular, nem tão sábia assim... — também se patenteia a discriminação. Desde os de menosprezo, como "Mulher e bolacha em toda parte se acha.", até os adágios que julgam perigosa a mulher instruída: "Deus me livre de mula que faz *him*! e de mulher que sabe latim."

Todos conhecem as regras básicas de concordância nominal — não a estilística! — da nossa língua: apesar de haver em português dois gêneros, o masculino e o feminino, é o masculino que predomina em numerosas circunstâncias, que passo a resumir.

É sabido que o adjetivo e o pronome em função de adjunto ou de predicativo concordam em gênero (e número) com o substantivo a que se referem: "Alta noite, lua quieta, muros frios, praia rasa" — diz-nos a alta poetisa Cecília Meireles.

Mas os fatos começam a complicar-se quando, numa frase, concorrem substantivos dos dois gêneros: a norma gramatical prescreve, então, que o adjetivo referente vai para o **masculino** plural: alunos e alunas aplicados; "Pedro, Maria e Helena são estudiosos.". Isso ocorre mesmo que predomine avassaladoramente o sexo feminino: "Meus alunos (= 3 alunos + 47 alunas...) são numerosos." Sempre a mulher relegada a plano inferior...

Vale a pena advertir que o gênero gramatical, quando em palavras que designam seres inanimados (ou coletivos), nada tem com sexo: são do masculino as que admitem o artigo *o*, *um*, como (*o*) *problema*, (*um*) *jarro*; e do feminino os que recebem os artigos *a*, *uma*: (*a*) *gente*, (*uma*) *jarra*.

E lá vem a prepotência do masculino: nas enumerações de substantivos de gêneros diversos, mesmo que haja um só do masculino, é nesse gênero que fica, por norma, o adjetivo: "Havia *papéis*, gravuras, revistas e canetas espalhados sobre a mesa." (A concordância com o nome mais próximo se considera caso excepcional.)

Ocorrem outros casos do predomínio do machismo na língua portuguesa: em palavras em que o gênero gramatical não é determinado, opta-se pela forma do masculino. É o que acontece com os pronomes indefinidos, como *alguém*, *ninguém* (e acrescento *se*), neutros na sua forma: na concordância, o adjetivo assume o gênero masculino: "Ficava horas na janela a ver se *alguém conhecido* passava."; "Não havia *ninguém famoso* na reunião."; "Nunca *se* é suficientemente *generoso*."

Outro exemplo está nos nomes que sintetizam substantivos de gêneros diferentes: "Tenho três *filhos*, duas moças e um rapaz."; *pais* representa a soma de *pai* e *mãe*; *vizinhos* é a soma de *vizinho+vizinha*; os *tios* incluem *tio*(s) e *tia*(s); e assim por diante.

O pronome pessoal da 3.ª pessoa do plural assume a forma *eles*, do masculino, quando substitui nomes masculinos e femininos: "João e Maria saíram: *eles* vão ao teatro."

É também a forma do masculino que se usa para designar os membros de uma classe no seu conjunto. *Homem*, e nunca *mulher*!, é o substantivo que se aplica à classe dos "seres humanos", formada de homens, mulheres, meninos e meninas: "O

homem é um ser racional." (= os homens e as mulheres); "O *homem* conquistou a Lua." (= o *Homo sapiens*).
Quando se faz menção à nacionalidade, é igualmente o masculino que se usa: "O *brasileiro* é cordial." (= os brasileiros e brasileiras).
Só se diz *homem de Cro-Magnon*, *homem de Neanderthal*; *a origem do homem*, *a evolução do homem* (= da humanidade).
Como se vê, só a forma do masculino engloba os dois sexos.
Daí a satisfação do filólogo não machista com alguns achados, posto que raros, de uso do feminino com pronomes indefinidos, tal como este de Machado de Assis no capítulo VIII de *Esaú e Jacó*:

> Natividade, de si para si, confessava os trinta e um [anos], e temia não ver a grandeza dos filhos. Podia ser que a visse, pois também *se* morre *velh*a, e alguma vez de velhice, mas teria o mesmo gosto?"

E Mário Barreto, nos seus *Últimos Estudos*, p. 411, nos fornece este exemplo de Camilo, com *a gente*:

> "Com estes leitores assim previstos, o mais acertado é *a gente* ser *since*r*a*."

Outro caso de machismo em nossos clássicos: com a expressão *um e outro* aplicada a nomes dos dois gêneros, é mais comum o emprego das formas do masculino, lembra Evanildo Bechara, que nos fornece exemplos de Herculano, um dos quais transcrevo: "Lá começaram os seus amores [do rei] com a rainha, que tão fatais foram para *um e outro*.", (e não *outra*). Acrescento este outro de M. de Assis, no *Quincas Borba*, cap. LX: "A mulher do colchoeiro escovou-lhe o chapéu; e, quando ele [Rubião] saiu, *um* (em vez de *uma*) *e outro* agradeceram-lhe muito o benefício da salvação do filho."
Uma conquista bem recente se refere à denominação das profissões, até há pouco designadas quase exclusivamente pelo masculino: já se diz "a *Senadora* Eunice", "a *Ministra* Ester", "a *Primeira-Ministra*".
As próprias definições dos dicionários, mesmo se o nome é uniforme, usam apenas o masculino. Um exemplo do *Caldas Aulete*:

"**Diplomata.** Funcionário do corpo diplomático de um país." (Por que não "funcionário ou funcionária"?...)

E embora existam as duas formas *poeta/poetisa*, considera-se depreciativa (por quê?) a forma feminina *poetisa*; e é comum, quando uma delas atinge uma culminância, denominá-la, numa esdrúxula combinação, com a forma do masculino: "*a poeta* Cecília Meireles". Vamos reabilitar o feminino *poetisa*, retirando-lhe qualquer conotação pejorativa!

CONCORDÂNCIA POR ATRAÇÃO

Outra compensação para o machismo imperante está na concordância por atração.

A posição dos determinantes em relação ao substantivo determinado, principal, é uma das raras ocasiões em que a atração do feminino se sobrepõe ao masculinismo da língua:

Se o adjetivo precede os substantivos, e se o primeiro destes for do gênero feminino, a atração se exerce, e é mais comum usar-se o feminino (embora também caiba o indefectível masculino plural):

"*Calada* a natureza, a terra e os homens" — assim poetou o grande Gonçalves Dias, deixando de lado o masculino plural *calados*.

De Machado de Assis posso citar: "*aquietada* a imaginação e o ressentimento" (*Quincas Barba*, cap. LXIII) — e não o gramatical *aquietados*.

E, em certos casos, a proximidade do substantivo feminino é tão atraente que é impossível o uso do masculino: "Com sincera *admiração* e apreço."; "Ótima *ocasião* e lugar escolheste." — e nunca *sinceros* nem *ótimos*, nessa posição.

A forte atração feminina chega a exercer-se, às vezes, sobre o advérbio *meio* (que, como advérbio, deve ser invariável), ocorrência frequente em Machado de Assis, que nisso seguia seus queridos clássicos: "janela *meia* aberta". (Tenho anotados exemplos de outros autores, por exemplo Emanuel Guimarães, cujo romance *A todo transe!* preparei para reedição: "De repente, a trapezista precipitava-se do alto... e projetava-se sobre o tapete da pista, desmaiada, uma costela fraturada, as carnes pisadas, *meia* morta."; "Estava já na rua, ansiada, sufocando, *meia douda."* — Os gramáticos, advirta-se, não recomendam essa concordância por atração.)

A tendência a masculinizar os femininos se mostra, ainda, em certas expressões, como *haja vista*.

Haver vista é "considerar-se", "merecer consideração", e a melhor construção com ela é manter o substantivo *vista* invariável, flexionando-se apenas o verbo *haver*:

"*Haja vista* a determinação legal."
"*Hajam vista* as determinações legais."

Apesar da inquestionável presença do substantivo *vista* nessa expressão, encontram-se, até em bons escritores, exemplos de masculinização, *haja visto*, como se o substantivo fosse um adjetivo verbal (particípio).

Outra masculinização ocorreu na locução *devido a* (cujo uso, diga-se de passagem, não tem respaldo nos autores cuidadosos): *devido*, particípio do verbo *dever*, concordava normalmente com o substantivo referente: "ausência *devida* a motivo imperioso"; com o tempo, foi-se usando o masculino, surgindo a locução: "ausência *devido* a motivo imperioso".

Também o particípio feminino do verbo *dar* — *dada(s)* — vem-se prestando a uma masculinização que leva a grosseiro erro de concordância, como se houvesse a locução *dado a*.

Use: Dad*a* a atenuante; Dad*as* as circunstâncias — e nunca *dado à*, *dado às*!

É auspicioso registrar aqui a série de recomendações que duas prestigiosas casas editoras da França e dos Estados Unidos — Fernand Nathan e McGraw Hill — fizeram aos seus autores com o objetivo de darem tratamento igual aos dois sexos nos seus livros.

A revista *Leia* de junho de 1987 transcreve a tradução de um texto publicado pela UNESCO, "Vencer o sexismo nos livros para crianças e nos manuais escolares".

Na luta contra estereótipos arbitrários baseados na discriminação contra o sexo feminino, são de louvar tais recomendações, em que os editores desejam "mostrar o papel que o vocabulário desempenhou no reforço da desigualdade entre os sexos, e sugerir os meios de apresentar os dois sexos da maneira mais justa possível".

Como exemplo: é necessário mostrar as mulheres na grande variedade de papéis que hoje desempenham: médica e dentista, e não somente enfermeira; diretora de escola ou professora universitária, e não apenas professora primária; advogada ou juíza, em lugar de assistente social; diretora de empresa, e não obrigatoriamente secretária; deputada e senadora; etc.

Como **não** se deve escrever:

"Henri Lebrun é um advogado de renome, e sua mulher uma bonita morena."

Como se deve escrever:

"Os Lebrun formam um belo casal. Henri é um louro bonito, e sua mulher, morena, tem belos cabelos. Cada um é apreciado no domínio da sua profissão: Anne é uma excelente pianista, e Henri um advogado de talento."

Como se vê, os tempos mudam, e já existem corajosos defensores da igualdade da mulher, para os quais ela deixa de ser mero objeto...

22. REGÊNCIA

Na regência em sentido restrito, a dependência não se manifesta pelo acordo das flexões de uma palavra com outra (como ocorre na concordância), mas pela exigência, ou não, de um COMPLEMENTO, para a perfeita compreensão da mensagem.

E o importante problema para a correção da linguagem consiste em saber se uma palavra (geralmente um verbo ou um nome) exige ou não um complemento, e qual o tipo desse complemento.

REGÊNCIA VERBAL

Vamos deter-nos mais demoradamente no verbo.

1. Há verbos que, numa frase — mais precisamente numa oração —, não necessitam de qualquer complemento para formarem um PREDICADO. Observe estas orações:

SUJEITO	PREDICADO
Uma palavra	*bastava.*
O cachorro	*sumiu.*
O dia	*raiou.*
O cachorro	*latia.*
O cachorro	*morreu.*
Seu Pedro	*chorava.*

E na ordem inversa (primeiro o verbo, depois o nome):

PREDICADO	SUJEITO
Desabou	uma tempestade daquelas!
Chegou	a noite.
Aconteceu	uma desgraça.

Pelo fato de poderem formar um predicado sem necessidade de complemento é que esses verbos recebem o nome de INTRANSITIVOS, ou seja: o seu sentido **não transita para um complemento.**

2. Outros verbos, ao contrário dos intransitivos, só costumam formar o predicado acompanhados de um complemento: ao enunciá-los, ficamos esperando mais alguma coisa que lhes complete o sentido. Esse complemento é o OBJETO, e os verbos que o pedem se chamam TRANSITIVOS, de que há dois tipos.

3. Se o verbo é TRANSITIVO DIRETO, seu objeto, quando substantivo, não vem obrigatoriamente precedido de qualquer preposição; e, quando pronome átono, tem a forma *o, a, os, as* (ou as suas variantes *lo, la, los, las* e *no, na, nos, nas*):

   1. A tempestade *inundou as ruas.*
       v. tr. dir. obj. dir.
   1a. A tempestade inundou-*as.*
       o.d.
   2. Foram *esperar a mãe* na Rodoviária.
       v. tr. dir. obj. dir.
   2a. Foram esperá-*la* na Rodoviária.
       o.d.
   3. *Aguardaram o ônibus* durante meia hora.
       v. tr. dir. obj. dir.
   3a. *Aguardaram-no* durante meia hora.
       v. tr. dir. o.d.

Observe nestes outros exemplos o emprego correto do pronome átono com alguns verbos transitivos diretos.

Quando vem antes do verbo ou quando este termina em vogal ou ditongo oral, a forma usada é *o* (e suas flexões):

   Esperou-*os* até tarde. — O pai estava esperando-*os.* —
   Deus *a* conserve com saúde, Vovó. — Minhas explicações não *o* satisfizeram.

Quando o verbo termina em -*m*, -*ão*, -*õe* usa-se a forma *no* (e suas flexões):

Consider*am-no* sábio. — Minhas explicações satisfi-
zer*am-nos*. — Dão muitas desculpas: *dão-nas* exagerada-
mente. — Põe as chaves no bolso; *põe-nas* no bolso.

Se o verbo termina em -*r*, -*s* ou -*z*, a forma do pronome é *lo*
(e suas flexões), e suprimem-se essas letras:

Tentaram sequestra*r* o Governador; tentaram seques-
trá-*lo*. — Di*z* as coisas francamente; *di-las* francamente.
— Pô*s* as chaves no bolso; *pô-las* no bolso.

São verbos transitivos diretos de uso frequente (objeto direto = *o* e suas flexões):

abençoar	amolar	facilitar
aborrecer	apreciar	favorecer
abraçar	auxiliar	humilhar
acompanhar	castigar	ouvir
acusar	chamar	prejudicar
admirar	condenar	prezar
adorar	conhecer	proteger
afligir	conservar	respeitar
ajudar	defender	satisfazer
alegrar	eleger	socorrer
almejar	esperar	suportar
ameaçar	estimar	

4. Se o verbo é TRANSITIVO INDIRETO, o seu complemento, o OB-
JETO INDIRETO, vem **obrigatoriamente** precedido de preposição,
quando substantivo. Se a preposição que antecede o objeto indireto é *a*, toma a forma *lhe, lhes* com alguns verbos:

4. A decisão do Diretor *agradou aos funcionários*.
(verbo transitivo indireto + preposição + objeto indireto)
4a. A decisão do Diretor *agradou-lhes*.
(*lhes* como objeto indireto)

5. *Coube ao caçula* o menor quinhão.
5a. *Coube-lhe* o menor quinhão.

Anote agora estes verbos transitivos indiretos com a preposição *a* (objeto indireto = *lhe*):

acudir a	escrever a	pertencer a
agradar a	falar a (ou com)	repugnar a
bastar a	importar a	resistir a
caber a	incumbir a	responder a
competir a	interessar a	restar a
convir a	ligar a	sobreviver a
cumprir a	obedecer a	telefonar a
corresponder a	ocorrer a	tocar a
desagradar a	parecer a	valer a

Há verbos mais exigentes: não se contentam com um só objeto, e pedem dois ao mesmo tempo, um direto e um indireto. Daí o nome de BIOBJETIVOS que lhes dão alguns. O mais típico desses verbos é *dar* (dar alguma coisa a alguém; dá-*la* a alguém; dar-*lhe* alguma coisa). Anote os mais comuns:

aconselhar	entregar	pagar
acrescentar	enviar	participar
agradecer	exibir	passar
anunciar	explicar	pedir
apresentar	expor	perdoar
atribuir	franquear	perguntar
augurar	impingir	permitir
causar	impor	propor
ceder	indicar	proporcionar
comunicar	informar	provar
conceder	jurar	recordar
conferir	legar	referir

contar	lembrar	remeter
dedicar	levar	reservar
deixar	mandar	restituir
destinar	manifestar	roubar
determinar	ministrar	solicitar
devolver	mostrar	subtrair
dirigir	narrar	testemunhar
dispensar	negar	tirar
distribuir	oferecer	tomar
ditar	ofertar	trazer
dizer	opor	vender
ensinar	outorgar

Não oferecem dificuldade as construções com os verbos transitivos indiretos ou com os biobjetivos:

Acudiu-*lhe* uma ideia nova. Não *lhe* agradou a escolha. Uma olhada bastou-*lhe*. Cabe-*lhe* a pior parte. Isso não *lhe* competia. Convém-*lhe* mais prudência. Cumpria--*lhe* executar a tarefa mais penosa. Não *lhe* fale disso. Obedeça-*lhe* sempre. Quero-*lhe* muito bem. Ninguém *lhe* resiste. Tocou-*lhe* o melhor lugar. Ninguém *lhe* valeu naquela dificuldade. Agradeça-*lhe* o obséquio. Atribuíram-*lhe* a culpa. Concederam-*lhes* férias coletivas. Ensinava-*lhes* as primeiras letras. Expus-*lhe* a questão. Jurou-*lhe* vingança. Lembrava--*lhe* sempre o dever. Pagam-*lhe* pouco. Perdoei-*lhe* a dívida.

Certos verbos transitivos indiretos cujo objeto indireto vem regido da preposição *a* não admitem o pronome átono *lhe*, mas as formas tônicas *a ele, a ela, a eles, a elas*. Anote alguns deles:

aceder — aludir — aspirar ("pretender") — assistir ("presenciar") — atender — concorrer — escapar — presidir — proceder — prover — recorrer — renunciar — resignar-se — revidar — suprir — visar ("ter em vista").

Exemplos:
   Acedeu *a ela* (= à proposta); Aludiu *a ele* (= ao fato); Aspirava *a ele* (= ao cargo); Assistimos *a eles* (= aos jogos); Atendeu *a elas* (= às ponderações); Concorreu *a ele* (= ao prêmio); Escapou *a ele* (= ao perigo); Fugiu *a ele* (= ao compromisso); Presidiu *a ela* (= à cerimônia); Procederam *a ela* (= à mudança); Proveu *a elas* (= às necessidades); Recorre *a ele* (= ao dicionário); Renunciou *a ele* (= ao cargo); Revidou *a ela* (= à afronta); Supria *a elas* (= às despesas); Visava *a ele* (= ao bem-estar da família).

   Merece registro o uso do pronome *lhe* como objeto indireto com valor possessivo em substituição elegante do pronome *seu* (e flexões) ou do equivalente *dele, dela, de você*:

   Conheço-*lhe* as manhas. O diretor abonou-*lhe* as faltas. Deus *lhe* conserve a saúde. Não o elegeram, porém elegeram-*lhe* o filho. Apreciei-*lhe* o gesto generoso. Animei-*lhe* os planos de pesquisa. Eu *lhe* satisfiz a curiosidade. Já ninguém *lhe* suportava as tolices. Castiguei-*lhe* a soberba, abaixando-*lhe* a crista.

   Nem só a preposição *a* introduz o objeto indireto: muitas outras preposições fazem esse papel.

apelar *para*
carecer *de*
cogitar *de* ou *em*
concordar *com*
confiar *em*
consistir *em*
constar *de*
contentar-se *com, de* ou *em*
contribuir *para*
convencer-se *de*
crer *em*
cuidar *de*
esforçar-se *em, para* ou *por*
e muitos outros.

gostar *de*
incidir *em*
incorrer *em*
lembrar-se *de*
lutar *com* e *por*
optar *por*
participar *de* ou *em*
prescindir *de*
queixar-se *de*
resultar *em*
simpatizar *com*
sonhar *com*
tratar *de*

Há verbos que apresentam regências diferentes sem mudança de sentido. Eis alguns deles:

abdicar (de) algo	implicar (em) algo (= "trazer como consequência")
atender (a) alguém	importar (em) algo
consentir (em)	necessitar (de) algo
continuar (com) algo	precisar (de) algo
cumprir (com) algo	presidir (a) algo
desfrutar (de) algo	renunciar (a) algo
esperar (por) alguém	tratar (de) alguém
gozar (de) algo	usar (de) algo

– *Agradar*, no sentido de "acariciar", "mimar", "fazer agrados", é transitivo direto: "Agradava demais o caçula; agradava-*o* demais."
Quando significa "causar prazer" é transitivo indireto, com a preposição *a*: "O concerto agradou *a* todos; agradou-*lhes*."

– *Aspirar*, no sentido de "atrair o ar aos pulmões", "sorver", "cheirar", é transitivo direto: "Aspirava o ar puro da mata, aspirava-*o* com prazer."
Já no sentido de "desejar ardentemente", "almejar", é transitivo indireto, com a preposição *a*, mas não admite o pronome *lhe*: "Aspirava *a* um alto cargo; aspirava *a ele* com todo o seu empenho."

– *Ligar*, "unir", é transitivo direto: "Uma ponte liga as duas cidades; liga-*as*." É bitransitivo no sentido de "associar": "Não ligou esse fato ao casamento; não *o* ligou *a ele*."
Mas quando significa "dar importância a" é transitivo indireto, com a preposição *a*: "Ninguém ligava *ao* bêbedo; ninguém ligava *a ele*."

– *Prover*, "nomear", é transitivo direto: "O Presidente proveu o deputado no cargo de Ministro."

Na acepção de "acudir", "atender", é transitivo indireto, com a preposição *a*: "Provia *a* todas as necessidades da casa; provia *a* elas."

– *Respeitar*, "tratar com respeito", é transitivo direto: "Respeite os mais velhos; respeite-*os*."
Significando "dizer respeito", "interessar", "referir-se", é transitivo indireto, com a preposição *a*: "No que respeita *a* essa questão...; no que respeita *a ela*; no que *lhe* respeita..."

– *Servir*, "prestar serviços", tanto pode ser transitivo direto quanto indireto: "Jacó servia Labão; servia-*o*"; "Jacó servia ao pai de Raquel; servia *a ele*."
No sentido de "convir", porém, é apenas transitivo indireto: "Este emprego não *lhe* serve."

Há certos verbos biobjetivos com os quais podem alternar os dois objetos (de pessoa e de coisa). Um modelo é *avisar*: avisa-se alguma coisa a alguém ou avisa-se alguém *de* alguma coisa. Anote mais estes:

advertir
certificar
cientificar
impedir
incumbir
indenizar
poupar

OUTRAS REGÊNCIAS DIGNAS DE NOTA

1. *Ensinar* admite estas alternativas:

Ensinei-*o a* desenhar.
Ensinei-*lhe* desenho.

2. *Custar* apresenta duas regências mais comuns, com certa mudança de sentido.
Na acepção de "demorar", "tardar", constrói-se, no Brasil, usualmente, com a preposição *a*: Custei *a* compreender; Custaste *a* responder-me. Veja estes exemplos de bons autores:

"Custas *a* vir." (Cecília Meireles)
"Como custa *a* passar um quarto de hora!" (Paulo Mendes Campos)
"O telegrama custou tanto *a* chegar." (Carlos Drummond de Andrade)
"Custei *a* conciliar o sono." (Gastão Cruls)
"Os meninos custavam *a* dormir." (Autran Dourado)
"As noites são mais frias, / e custam *a* passar." (Olavo Bilac)

Na acepção de "ser difícil", "ser penoso", constrói-se com pronome objeto indireto seguido de verbo no infinitivo (sujeito):

"Custou-me (*custou-lhe, custou-nos*) admitir a derrota."

Literária é a construção com objeto indireto de pessoa seguido de preposição *a* mais infinitivo:

"Custava-me *a* ouvir tais blasfêmias." (Machado de Assis)

3. *Esquecer* e *lembrar*, transitivos diretos, também se usam como pronominais transitivos indiretos com a preposição *de*:

a) "Nunca esqueci aquele caso."
b) "Nunca *me* esqueci *d*aquele caso."
c) "Lembrou seu nome para o cargo."
d) "Lembrou-*se do* seu nome para o cargo."

Literária é outra construção dos verbos *lembrar* e *esquecer*, usual nos clássicos da nossa língua:

e) "Não *lhe lembra* nunca a possibilidade de um pontapé." (Machado de Assis) [= Não lhe ocorre];
"Nunca *me esqueceu* aquele caso." [= Nunca me saiu da lembrança].

Ainda ocorre uma última regência destes dois verbos, um tanto irregular, resultante do cruzamento de *b* ou *d* com *e*, igualmente de uso apenas literário:

f) "Nunca *me esqueceu* daquele caso."
"*Lembra-me de* que ela chorou."

4. *Deparar* apresenta as seguintes regências:

a) biobjetivo:
"Eu lhe deparei [= apresentei] várias soluções."

b) transitivo direto:
"Deparei [= encontrei] várias soluções."

c) transitivo indireto (com objeto indireto de coisa, introduzido pela preposição *com*); é a mais comum no Brasil:
"Deparei [= "atinei"] *com* várias soluções."

d) pronominal transitivo indireto (com objeto indireto de pessoa regido da preposição *a*); quando pronone átono = *lhe*:
"*Depararam-se* [= apresentaram-se] *a* João da Silva várias soluções; depararam-*se-lhe* várias soluções."

e) pronominal transitivo indireto (com objeto indireto de coisa):
"*Deparei-me* com várias soluções."

5. *Chegar*, tradicionalmente, tem o seu complemento adverbial introduzido pela preposição *a*: chegar *a* algum lugar. Modernamente, no Brasil, muitos escritores, por influência da língua corrente, usam também a preposição *em*, especialmente na expressão "chegar em casa". Eis alguns exemplos de escritores brasileiros modernos:

"Meu pai chegou *em* casa dizendo:" (Gilberto Amado)
"O poeta chega *n*a estação." (Carlos Drummond de Andrade)
"Quando cheguei *n*a casa de um amigo" (Fernando Sabino)

VERBOS DE REGÊNCIA DIFERENTE COORDENADOS

Há preconceito injustificado entre alguns gramáticos contra o emprego do mesmo complemento referente a verbos de regência diferente que se coordenam; mas a realidade do uso nos revela que o escritor, neste caso, pode optar por uma destas soluções:

1. Atribui a cada verbo o seu complemento, de acordo com a regência de cada um, numa construção um tanto pesada:

"Entrava *em casa* e saía *dela.*"

2. Atribui o mesmo complemento aos dois verbos, conforme a regência do mais próximo, obtendo, com isso, mais concisão e elegância:

"Continuou a entrar e sair *de casa.*" (Machado de Assis)
"Iam contar lá em casa que me haviam visto de madrugada, na Bica, entrando ou saindo *de tal lugar.*" (Gilberto Amado)

Um último caso de regência é o da preposição que, embora se prenda a um verbo no infinitivo, distante dela, se contrai, na corrente da fala, com o artigo que antecede o substantivo sujeito, ou com o pronome sujeito:

"... na hora *da* onça *beber* água, deu-me com o cotovelo." (Graciliano Ramos)
"Encontrava-me em Roma em 1942, antes *do* Brasil *entrar* na guerra." (Gilberto Amado)
"Chegou a vez *dele contar*-me a sua vida." (Gilberto de Alencar)

Também se pode separar na escrita a preposição:

antes *de o* Brasil entrar na guerra;
Chegou a vez *de ele* contar...

Com isto chegamos ao fim deste longo capítulo da regência, tão importante para a correção que você deve manter na língua escrita.

Os numerosos exemplos e as extensas relações de verbos que lhe forneci constituem já um bom material, mas não dispensam a consulta aos dicionários como o *Caldas Aulete*, que registra as diferentes regências possíveis para cada acepção, e indica, no caso da transitividade indireta, as preposições mais usadas.

EVOLUÇÃO

23. NOSSA HERANÇA LATINA

É certíssimo afirmar que o português é uma língua românica, ou neolatina, ou simplesmente latina, já que pelo menos por três caminhos diferentes o latim contribuiu para formar a nossa língua e as demais neolatinas (o castelhano, o catalão, o occitânico ou provençal, o franco-provençal, o francês, o rético, o italiano, o sardo, o dalmático — já morto — e o romeno).

A fonte primária e básica é o LATIM FALADO, que os filólogos denominam "latim vulgar" (reconhecendo embora a impropriedade do termo *vulgar*, uma vez que o latim corrente, de comunicação, não se limitava à camada vulgar, mas abrangia as várias classes da população de Roma e do Império Romano). Esse latim vivo foi-se modificando através dos séculos, diferentemente em cada região, até transformar-se em novas línguas, entre as quais o português.

Se o latim, ao modificar-se, produziu tantas línguas novas (nas quais existem dezenas de variantes locais, os *dialetos*), isso se deve a fatores vários, entre os quais o contacto com as línguas locais que suplantou, as quais imprimiram colorações diversas ao latim falado em cada região.

É desse latim falado que provém nosso vocabulário básico, que designa tudo aquilo que está em nós, os seres que nos cercam e suas qualidades, as ações comuns que praticamos, as palavras puramente gramaticais, em número limitado (pronomes, advérbios, preposições, conjunções). São as palavras POPULARES ou EVOLUTIVAS, assim chamadas por terem sofrido evolução nos sons (e também no sentido, como veremos noutro capítulo):

- cabeça, cabelo, boca, mão, pé;
- pai, mãe, filho, avô; homem, mulher;
- céu, terra, rio, mar, montanha, casa, fogo, árvore, mesa, parede;
- cão, gato, boi, vaca, galo, galinha, cavalo, égua, leão, lobo;
- bom, mau, grande, pequeno, alto, baixo;
- ir, vir, falar, comer, beber, dormir;
- eu, tu, ele, este, tudo, nada, alguém, ninguém, que, quem, meu, minha;
- sim, não, cedo, tarde, sempre, nunca, já, agora, aqui, onde, quando;
- de, com, em, entre, por, para;
- que, se, porque, embora; etc.

Claro que está incompletíssima essa listagem; mas não interessa gastar páginas e páginas multiplicando-a. Um dicionário etimológico como o da Lexikon satisfará a curiosidade dos interessados. Ou uma gramática histórica. (Recomendamos-lhe as *Lições de Português* do grande mestre Sousa da Silveira.)

A segunda fonte é o LATIM ESCRITO, tanto o literário quanto o da Igreja Católica, que manteve bem viva a cultura clássica, mesmo depois que o latim foi substituído pelas diferentes línguas românicas. Basta ler um livro como o romance *O nome da rosa*, de Umberto Eco, para se ter uma ideia da vitalidade dessa língua na Idade Média, entre os monges, que sempre continuaram (e em parte continuam) lendo, escrevendo e falando o latim.

Por outro lado, muitos intelectuais da Europa, desde a Idade Média, mas sobretudo após o Renascimento, época em que mais intensamente se reviveu a leitura dos clássicos latinos (e gregos), aprenderam tão bem o latim que passaram a nele escrever muitas das suas obras, que assim obtiveram maior divulgação: o latim passou a ser, entre a camada culta europeia, a língua universal, tal como hoje acontece com o inglês e o francês.

Usaram o latim como segunda língua escritores de quase todos os países europeus: na Itália, Dante, Petrarca e Boccaccio o alternaram com o italiano; na Holanda sobressai Erasmo de

Roterdam; na Inglaterra Thomas More, Roger Bacon e Francis Bacon; em Portugal, André de Resende e Aquiles Estaço.

É natural, assim, que desse convívio constante tomassem do latim escrito muitas palavras e as introduzissem na sua própria língua, em que sofreram apenas adaptações na sua parte final, para que tivessem aspecto vernáculo: são as palavras CULTAS ou ERUDITAS.

São numerosíssimas, em português, as palavras de origem culta. Veja uma ligeira amostra:

acepção, agrícola, alienar (cognato, isto é, da mesma família do popular *alheio*), *ascensão, audição, auditivo* (cognatos de *ouvir*), *celeste* (c. de *céu*), *ciência, clássico, crucificar* (c. de *cruz*), *decapitar* (c. de *cabeça*), *dicionário, doloroso* (c. de *dor*), *eclesiástico* (c. de *igreja*), *equitativo* (c. de *igual*), *explicar, faculdade, glacial, homicida, impulso* (c. de *puxar*), *insular* (c. de *ilha*), *introspecção, invicto, jurisconsulto, lácteo* (c. de *leite*), *latifúndio, latino, legenda* (c. de *ler*), *legislativo,* (c. de *lei*) *lúcido* (c. de *luz*), *magistério* (c. de *mestre*), *manuscrito* (c. de *mão*), *matrimônio, meridiano, miraculoso* (c. de *milagre*), *ministério, noctívago* (c. de *noite*), *nomenclatura, núcleo, ocidente, oficial, palestra, pacífico* (c. de *paz*), *materno* (c. de *mãe*) *paterno* (c. de *pai*), *pecuária, península* (c. de *ilha*), *perpétuo, perspicácia, petróleo* (c. de *pedra*), *plenilúnio* (c. de *cheio* e de *lua*), *pluvial* (c. de *chuva*), *população, popular* (cognato de *povo*), *potência* (c. de *poder*), *prejudicial* (c. de *prejuízo*), *previdência* (c. de *prever*), *privilégio, processo, proclamar* (c. de *chamar*), *proletário, propício, proponente* (c. de *pôr*), *putrefato* (c. de *podre* e *feito*), *quadragésimo, quadrúpede, quádruplo, quotidiano, racional* (c. de *razão*), *reflexo, regenerar* (c. de *gerar*), *reivindicar, rememorar* (c. de *lembrar*), *réptil, república, ressonância* (c. de *soar, som*), *ressuscitar, retrospecto, românico, rotação* (c. de *rodar*), *ruptura* (c. de *roto*), *sacramento, sagitário* (c. de *seta*), *saliente* (c. de *sair*), *século, sedentário* (c. de *sentar*), *segregar, seminário, sensibilidade, sequência* (c. de *seguir*), *sequestro, sexo, silvícola* (c. de *selva*), *solstício, sortilégio, subjetivo* (c. de *sujeito*), *subjuntivo, subordinação, substância, subúrbio, superfície, superstição, taciturno, táctil, tangente, taurino* (c. de *touro*), *tenebroso* (c. de *trevas*), *têxtil, título, transfusão, translação, triângulo, tribunal, túmulo, úlcera, umbilical* (c. de *umbigo*), *uniforme, vácuo, válvula, vernáculo, veterinário, vidente* (c. de *ver*), *vínculo, viperino* (c. de *víbora*), *vitalício* (c. de *vida*), *vocábulo, voluntário* (c. de *vontade*), e milhares de outras.

O mais curioso é que muitas dessas palavras eruditas têm a mesma origem de outras que já haviam entrado na língua por via oral, pela boca do povo. Desse fato resulta que, de um mesmo étimo latino, nossa língua às vezes possui dois ou mais representantes, um ou mais, de origem popular, sofrendo as alterações fonéticas próprias do português, conforme a época em que foram introduzidas, outros vindos da língua escrita, palavras cultas portanto, sem essas alterações, apenas adaptadas na parte final, como já disse, para apresentarem aparência portuguesa. Convém observar, desde agora, que essas formas divergentes dificilmente têm o mesmo significado: geralmente há também especialização de sentido em algumas delas.

É interessante observar também que algumas palavras de origem culta se tornaram, com o tempo, mais usadas que as suas correspondentes de origem popular. É o caso, por exemplo, de *incrédulo* (origem culta), hoje mais conhecida que *incréu* (origem popular), ambas provindas do latim *incredulu*; *limite* (erudita), e *linde* (popular); *operário* (erudita) e *obreiro* (popular); *palácio* (erudita) e *paço* (popular); *vicio* (erudita) e *vezo* (popular), ambas do latim *vitium*.

Eis uma relação da maioria dessas divergentes, com formas duplas, triplas e até quádruplas provindas de uma mesma palavra latina:

PORTUGUÊS

ÉTIMO LATINO	PALAVRAS POPULARES; DO LATIM FALADO	PALAVRAS ERUDITAS; DO LATIM ESCRITO
ABSCONSU	escuso, esconso	absconso
ACTU	auto, eito	ato
ADRIANU	Adrião	Adriano
ADVERSU	avesso	adverso
AFFECTIONE	afeição	afecção
ALIENARE	alhear	alienar
AMPLU	ancho	amplo
ANGELU	anjo	Ângelo
APREHENDERE	aprender	apreender
AREA	eira	área

ÉTIMO LATINO	PALAVRAS POPULARES; DO LATIM FALADO	PALAVRAS ERUDITAS; DO LATIM ESCRITO
ARENA	areia	arena
ATRIU	adro	átrio
AUGURIU	agoiro, agouro	augúrio
AUGUSTU	agosto	augusto, Augusto
AURICULA	orelha	aurícula
AUSCULTARE	escutar	auscultar
BENEDICTU	bento, Bento, bendito	Benedito
BESTIA	bicha	besta
CALIDU	caldo	cálido
CAPITULU	cabido	capítulo
CAPTARE	catar	captar
CARDINALE	cardeal	cardinal
CAUSA	cousa, coisa	causa
CATHEDRA	cadeira	cátedra
CLAMARE	chamar	clamar
CLAVE	chave	clave
CLAVICULA	chavelha, cravelha	clavícula
COAGULARE	coalhar	coagular
COGITARE	cuidar	cogitar
COGNATU	cunhado	cognato
COHORTE	corte (ô)	coorte
COMPARARE	comprar	comparar
COMPUTARE	contar	computar
CREDO	creio	credo
DECIMA	dízima	décima
DECRETU	degredo	decreto
DELICATU	delgado	delicado
DESIGNIU	desenho	desígnio
DIRECTO	direito	direto

ÉTIMO LATINO	PALAVRAS POPULARES; DO LATIM FALADO	PALAVRAS ERUDITAS; DO LATIM ESCRITO
DUPLU	dobro	duplo
EXAMEN	enxame	exame
FACTU	feito	fato
FERIA	feira	féria
FINITU	findo	finito
FLAMMA	chama	flama
FLUXU	frouxo	fluxo
FOCU	fogo	foco
FRIGIDU	frio	frígido
FUGITIVO	fugidio	fugitivo
GENERALE	geral	general
GENITIVO	gentio	genitivo
GERMANU	irmão	Germano
GLANDULA	landra, lândoa	glândula
GLUTEN	grude	glúten
HEREDITARIU	herdeiro	hereditário
IMPLICARE	empregar	implicar
INCREDULU	incréu	incrédulo
INFLARE	inchar	inflar
INSULSU	insosso	insulso
INTEGRU	inteiro	íntegro
JACTU	jeito	ja(c)to
LABORARE	lavrar	laborar
LACUNA	lagoa	lacuna
LAICU	leigo	laico
LATINU	ladino, ladinho	latino
LAURU	louro, loiro	Lauro
LEGALE	leal	legal
LEGENDA	lenda	legenda
LEGITIMU	lídimo	legítimo

ÉTIMO LATINO	PALAVRAS POPULARES; DO LATIM FALADO	PALAVRAS ERUDITAS; DO LATIM ESCRITO
LIBELLU	nível	libelo
LIBERARE	livrar	liberar
LIMITE	linde	limite
LITANIA	ladainha	litania
LOCALE	lugar	local
LUCRU	logro	lucro
MACULA, MACLA	mancha, malha, mágoa	mácula
MASCULU	macho	másculo
MASTICARE	mascar	mastigar
MATERIA	madeira	matéria
MATRE	mãe	madre
MATURARE	medrar	maturar
MEDICINA	mezinha	medicina
MEDIU	meio	médio
MINUTU	miúdo	minuto
MUSCULU	bucho	músculo
NITIDU	nédio	nítido
NOTULA	nódoa	nótula
OCULU	olho	óculo
OPERARE	obrar	operar
OPERARIU	obreiro	operário
PAENITENTIA	pendência	penitência
PALATIU	paço	palácio
PALLIDU	pardo	pálido
PALPARE	poupar	(a)palpar
PARABOLA	palavra	parábola
PARTICULA	partilha	partícula
PELAGU	pego	pélago
PENSARE	pesar	pensar

ÉTIMO LATINO	PALAVRAS POPULARES; DO LATIM FALADO	PALAVRAS ERUDITAS; DO LATIM ESCRITO
PERFIDIA	porfia	perfídia
PLAGA	chaga, praga	plaga
PLANU	chão, porão	plano
PLENU	cheio	pleno
POLIRE	puir	polir
PRIMARIU	primeiro	primário
PULSARE	puxar	pulsar
QUIETU	quedo	quieto
RECITARE	rezar	recitar
REGINA	rainha	Regina
RECUPERARE	recobrar	recuperar
RIGIDU	rijo	rígido
ROMANU	Romão	romano, Romano
ROTULA	rolha	rótula
ROTUNDU	redondo	rotundo
RUGITU	ruído	rugido
SALTU	souto, Souto	salto
SANARE	sarar	sanar
SECRETU	segredo	secreto
SIBILARE	silvar	sibilar
SENSU	siso	senso
SIGILLU	selo	sigilo
SINISTRU	sestro	sinistro
SOLITARIU	solteiro	solitário
SUMMA	soma	suma
TELA	teia	tela
TENSU	teso	tenso
UMERU	ombro	úmero
VIGILIA	vigia	vigília
VITIUM	vezo, viço	vício

São usuais, ainda em português e em todas as línguas da civilização ocidental, numerosas expressões latinas, como estas, entre dezenas:

ad hoc = "para isso, para este caso ": "Foi designado secretário *ad hoc*", ou seja, especialmente para determinado evento;
ad referendum = "sob condição de consulta aos interessados";
currente calamo [cá] = "ao correr da pena";
curriculum vitae = "o curso da vida";
data venia = "com a devida permissão";
de facto = "de fato": opõe-se a *de jure* = "de direito";
deficit [dé] = "falta", ou seja, a diferença a menos entre a receita e a despesa;
dura lex, sed lex = "a lei é dura, mas é lei";
ex cathedra = "do alto de sua cátedra";
grosso modo = "de forma aproximada";
habeas-corpus = "que disponhas do teu corpo";
habeas-data = "que disponhas de teus dados";
habitat = "lugar em que vive um organismo";
honoris [nô] *causa* = "para a honra": diz-se de um grau conferido a título honorífico;
in extremis = "nos últimos momentos";
in natura = "no seu natural";
ipso facto = "por isso mesmo";
lapsus calami [cá] = "erro da caneta";
lato sensu = "em sentido amplo"; opõe-se a *stricto sensu*;
modus vivendi = "maneira de viver";
mutatis mutandis = "mudando o que deve ser mudado", isto é, alterando os pormenores;
nec plus ultra = "não mais além";
persona (non) grata = "pessoa (não) recebida com agrado";
primus inter pares = "o primeiro entre seus iguais";
res, non verba = "fatos, e não palavras";
sine die = "sem dia [determinado]";
sine qua non = "sem a qual não", isto é, condição imprescindível;
status quo (ou statu quo) = "(n)o estado em que [antes se encontrava]";
stricta sensu = "em sentido restrito";
sui generis = "do seu próprio gênero", ou seja, sem analogia com outra pessoa ou coisa;

superavit [rá] = "sobrou", ou seja, a diferença a mais entre a receita e a despesa;
verbi gratia = "por exemplo".

Uma terceira via são outras línguas, quase sempre neolatinas, que receberam certas palavras do latim e que o português tomou de empréstimo. Algumas delas também passaram diretamente do latim para o português, e constituem igualmente formas divergentes. Veja alguns exemplos:

latim	português[1]	língua intermediária	português[2]
anellu	elo	provençal: *anel*	anel
aramine	arame	castelhano: *alambre* → *alambrado*	alambrado
caput	cabo	francês: *chef*	chefe
facticiu	feitiço	fr.: *fétiche*	fetiche
homine	homem	cast.: *hombre* → deriv.: *hombridad*	hombridade
lumine	lume	cast.: *lumbre* → deriv.: *deslumbrar* *vislumbrar*	deslumbrar vislumbrar
media	média	inglês: *media* (pronunciado *mídia*) no sentido de "meios de comunicação"	mídia
minuta	miúda	fr.: *minute*	(à) minuta
opera	obra	italiano: *opera*	ópera
planu	chão	cast.: *llano*	lhano
sanguine	sangue	cast.: *sangre* → deriv.: *sangrar*	sangrar
solu	só	ital.: *solo*	solo (termo de música)
tenore	teor	ital.: *tenore*	tenor
impulsare	empuxar	cast.: *empujar*	empurrar

O castelhano nos deu ainda:

amistoso, ligado a *amistad* (port. *amizade*), do lat. *amicitate*; *bolero*; *caudilho*, do mesmo radical de *cabeça*; *empalar* (de *pala*, "pau", em latim *palu*);
   entretenimento, derivado de *entretener*, port. *entreter* (do lat. *tenere*, com o prefixo *entre-*);
   hediondo (do lat. *foetibundu*);

mantenedor (de *mantener*, "manter", em lat. *mantenere*); *neblina* (do lat. *nebulina*, diminutivo de *nebula*, "névoa").

Como você pode ver, é imensa a herança que o latim nos deixou, e que nem a ameaça das invasões estrangeiras (v. o capítulo seguinte) é capaz de destruir.

24. AS INVASÕES ESTRANGEIRAS

Enquanto o português se formava, no noroeste da Península Ibérica, numa transformação gradual do latim popular trazido pelos conquistadores romanos, o território de Portugal sofreu invasões de povos estrangeiros que não lograram impor sua língua, mas nele deixaram a marca da sua passagem, enriquecendo-lhe o vocabulário.

Primeiro foram os árabes, que estiveram na Península Ibérica do século VIII ao século XV, invasão que deu margem à grande epopeia da Reconquista, na qual os cristãos lutaram contra os muçulmanos (os "Infiéis", como os chamavam). Em Portugal a Reconquista durou até meados do século XIII, quando o Algarve, no sul, foi definitivamente incorporado ao reino português, depois de batalhas memoráveis.

É natural que num período tão longo tenham entrado em nosso léxico centenas de vocábulos, muitos dos quais iniciados por *al-* (que é o artigo definido árabe, por vezes reduzido à vogal *a*). Pela variedade dos campos abrangidos se pode avaliar a influência da cultura árabe, nessa época mais desenvolvida.

Você reconhecerá como vindas do árabe muitas palavras nesta pequena amostra; outras lhe causarão surpresa, sem dúvida:

açafrão, acelga, acepipe, açougue, açoute ou *açoite, açucena, açude, aduana* (que nos deu o derivado *aduaneiro*), *alarde, alarido, alaúde, alazão, alcachofra, alcaçuz, álcali, alcateia, alcatra, alcatrão, álcool, Alcorão, alcova, alcunha, aldeia, alecrim, alface, alfaiate, alfarrábio, alfazema, alferes, alfinete, algazarra, álgebra, algemas, algibeira, algodão, alicate, alicerce, almanaque, almirante, almofada, almôndega, almoxarife, alqueire, alvará, âmbar, andaime, argola, armazém, arrabalde, arrais, arroba, arsenal, atum, auge, azar, azeite, azinhavre, azougue, bairro, beduíno, benjoim, café, calibre, califa, camelo, cenoura, cetim, chafariz, cifra, ciranda, damas, elixir, emir, enxaqueca, enxoval, faquir, farda, fardo, fatia, fulano, garrafa, gergelim, giz, harém, haxixe, hégira, Islã* ou *Islame, jarra, javali, lima* (fruta), *mameluco, marfim, máscara, masmorra, mate* (do jogo de xadrez), *mesquinho, mesquita, muçulmano, nuca, oxalá, papagaio, quilate, quintal, rabeca, recife, refém, safra, saguão, sofá, sultão, tabique, talco, tâmara, tamarindo, tarifa, tripa, xadrez, xarope, xeque* (forma portuguesa, ao invés de *cheik* ou *sheik*), *xerife, xiita, zênite, zero.*

De 1580 a 1640 permaneceu Portugal sob o domínio espanhol. São dessa época muitos destes — dentre centenas — espanholismos que penetraram no português; outros são mais recentes:

alambrado, antanho, apanhar, apetrecho, baunilha, bobo, bolero, bombacha, botija, castanhola, castelhano, caudilho, cavalheiro, cedilha, colcha, cordilheira, cortina, dengue, deslumbrar, desmoronar, despojar, duende, empurrar, engendrar, entretenimento, façanha, fiambre, frente, gado, galã, galante, galhofa, ganância, goela, granizo, hediondo, hombridade, lagartixa, lamparina, lhano, mantilha, mariposa, mochila, molde, moreno, neblina, ninharia, novilho, ojeriza, pandeiro, paradeiro, pastilha, penca, pepino, peseta, picaresco, pingente, pirueta, platina, quadrilha, rabanada, realejo, rebelde, redondilha, repolho, rol, sangrar, tablado, talão, trecho, vislumbrar.

Sempre tem havido no mundo uns poucos países que exercem influência cultural mais ou menos acentuada sobre outros. E esse prestígio se manifesta invariavelmente pela intromissão da língua do país de maior cultura sobre a língua dos demais, na qual se introduzem construções e vocábulos novos. Se alguns destes são necessários — pela própria evolução dos usos e costumes, ou pelo avanço das ciências, que precisam de termos novos para nomear criações novas —, muitos outros são dispensáveis, pelo fato de a língua influenciada já possuir designações próprias para determinadas ideias ou coisas.

Um exemplo:

O português possui o nome *castanho* para designar a cor da casca da castanha: "cabelos *castanhos*". Apesar disso, importou do francês a palavra *marron*, que significa "castanha", para indicar essa mesma cor: "uma bolsa *marrom*"...

São vários, aliás, os nomes de cores tirados do francês que usamos comumente: *beige* (também escrito *bege*), *bordeaux* (aportuguesado para *bordô*), *grenat* (*grená*), *lilás*, etc. A língua portuguesa, em séculos idos, teve ascendência sobre línguas da Ásia e da África. Basta lembrar que há cinco nações africanas em que é o português o idioma oficial.

Mais recentemente, contudo, sofreu (e continua a sofrer) a ingerência de outras línguas europeias. No século passado (e até as primeiras décadas deste), foi o francês o grande invasor: sua rica literatura penetrou continuamente entre nós, e o ensino do francês fazia parte da educação das moças de outrora. (Machado de Assis o mostra claramente em seus romances.)

O resultado não podia ser outro: nossa língua foi-se enchendo de FRANCESISMOS (ou GALICISMOS), grande parte deles supérfluos, outros úteis. Alguns mereceram aceitação geral e tiveram sua forma aportuguesada; outros conservam a feição original.

E dessa maneira se mantém uma verdadeira tradição de preferir nomes franceses para a moda e a culinária, para termos de arte, numa prova de colonialismo cultural até hoje persistente.

Ninguém perde o *vernissage* de um pintor da moda, cujo *atelier* repleto de *croquis* foi objeto de reportagem. Os trabalhos de *crochet* e *tricot* e os *abat-jours* pintados à mão fizeram sucesso na *soirée chic*. [Note-se que os dicionários já registram com forma portuguesa muitos deles: *ateliê*, *croqui*, *croché* ou *crochê*, *tricô*, *abajur* (pl. *abajures*), *chique*. Ainda hoje se considera *chic* o *menu* escrito em francês...]

Entre dezenas de palavras e expressões francesas de uso em português, algumas delas mais antigas, outras recentes, veja esta pequena amostra dessa grande invasão (vai entre parênteses, quando usual, a forma aportuguesada):

aigrette, aide-mémoire, bacará, bâton (batom), bidet (bidé ou *bidê), balloné, blasé, boulevard (bulevar), boutade, cabaret (cabaré), cabine (cabina), cache-col (cachecol), cachenez (cachenê), calembour (calembur), cancan (cancã), cavaignac (cavanhaque), chaise longue, chalet (chalé), champagne (champanha* e *champanhe), chance, chauffeur (chofer), controle, crachat (crachá), escarpin, fetiche, flâneur, frappé, garage(m), garçon, grand monde, jeu-*

nesse dorée, maiô, maquillage (maquiagem e *maquilagem), menu, metrô, ménage à trois, molleton, morgue, omelete, peignoir, pince--nez (pencenê* e *pincenê), plissé, pouf (pufe), purée (purê), réchaud, rimel (rímel), savoir-faire, savoir-vivre, soufflé (suflê), soutien (sutiã), trottoir, trousse, vitrina, voyeur,* etc.

O excesso de palavras de origem francesa introduzidas no português tem provocado, através dos séculos, com alguma dose de razão — descontados os exageros puristas —, a ira de certos gramáticos, que fizeram publicar dicionários de galicismos "condenáveis", e artigos em que se propõem substitutos, por vezes ridículos, alguns dos quais, porém, caíram no gosto do público. Outros, contudo, foram devidamente desprezados, e hoje é inútil querer condenar ou substituir certos galicismos.

Assim, como exemplos: para *avalanche* (ou, aportuguesando, *avalancha*) — que aliás tem o correspondente português *alude*, pouco usado — se propôs o estranho *runimol,* que não vingou; para *menu,* o substituto proposto, *cardápio,* é de uso geral no Brasil (em Portugal se diz *ementa*), ao lado de *menu* e *lista;* para *morgue* (ainda usado em Portugal), aceitou-se o substituto *necrotério;* por outro lado, ninguém usa *lucivéu* ou *lucivelo* em lugar do galicismo consagrado *abajur.*

São correntes, por sua vez, galicismos como *agir* (que hoje ninguém de bom-senso pensa em substituir); *detalhe (pormenor, minúcia, particularidade* são alternativas); *destacar(-se)* alterna com *sobressair, distinguir-se, salientar-se,* tal como *destaque* com *realce, relevo;* ao lado de *constatar* usam-se os mais vernáculos *atestar, comprovar, verificar, observar.*

E ninguém pensaria em retirar do nosso léxico dezenas de vocábulos, alguns incorporados ao português desde séculos, tais como:

altruísmo, apanágio, aprendiz, arranjar, assembleia, avenida, bagagem, bilhete, blusa, bombom, boné, broche, cadete, chaminé, chanceler, chapéu, chefe, claraboia, colete, creme, crepe, croquete, decolar, derrapar, divisa, envelope, etapa, etiqueta, filé, flanar, gabinete, greve, guilhotina, hotel, jardim, leste, loja, lote, luneta, paisagem, paletó, persiana, personagem, rampa, rapé, restaurante, roleta, rondó, sabre, saia, salada, silhueta, terrina, trem, trenó, triagem, trufa, usina, vantagem — escolhidos entre centenas.

Também da Itália a língua portuguesa sofreu uma invasão, agradável sob vários aspectos: a princípio de termos de Belas Artes, especialmente de música e de teatro, e mais recentemente de culinária; sem falar de alguns referentes à guerra e à arte náutica:

MÚSICA E TEATRO:
adágio, alegro, andante, ária, arpejo, balcão, bandolim, barcarola, batuta, burlesco, camarim, cantata, concerto, contralto, coxia, dueto, empresário, escala, fagote, falsete, fiasco, libreto, maestro, madrigal, ópera, oratório, palhaço, partitura, piano, pizicato, quarteto, quinteto, ribalta, romança, saltimbanco, serenata, solfejo, solo, sonata, soprano, surdina, tarantela, tenor, terceto, tocata, trêmolo, trombone, violino, violoncelo, virtuose;

CULINÁRIA:
brócolis ou brócolos, cantina, lasanha, macarrão, mortadela, nhoque, pizza, polenta, ravióli, ricota, risoto, salame, salsicha, talharim;

MILITARES:
alarma, alerta, batalhão, capitão, cidadela, coronel, escopeta, espadachim, esquadra, fragata, galera, infantaria, sentinela;

OUTROS:
bancarrota, bandido, belvedere, carnaval, cassino, charlatão, cicerone, concordata, confete, diletante, esdrúxulo, fascismo, favorito, gazeta, granito, grotesco, lavanda, loteria, medalha, miniatura, modelo, mosaico, nicho, pajem, pasquim, pitoresco, poltrona, porcelana, trampolim, ventarola.

Mais perto dos nossos dias foi a vez da preponderância do inglês, primeiramente da Inglaterra, sobretudo nos esportes, e mais recentemente dos Estados Unidos da América, numa verdadeira invasão cultural que atinge também o vestuário, a alimentação, a música, a comunicação e, nas duas últimas décadas, a eletrônica e a computação.

Antes de mais nada, a própria palavra *esporte* (de *sport*); e o nome do esporte mais popular no Brasil, já devidamente aportuguesado: *futebol*, adaptação de *football*. (Não tiveram bom êxito os vários nomes propostos por nacionalistas e puristas para substituir este anglicismo: ninguém tomou conhecimento de *balípodo, ludopédio, pedibola* e outros que tais.)

Junto com o futebol vieram numerosos termos a ele referentes, alguns dos quais substituídos, nos últimos decênios, por equivalentes portugueses (brasileiros, pelo menos), outros devidamente aportuguesados:

gol (de *goal*) e seu derivado *goleiro* (que substituiu *goal-keeper* e sua abreviação *keeper*); *beque* (de *back*), hoje *zagueiro; corner*, preterido por *escanteio, tiro de canto; chute* (de *shoot*), com seu derivado *chutar*, usados também fora do futebol; *pênalti (penalty); off-side (impedimento); drible* (de *dribble*) e *driblar*, etc.

Vários outros esportes (e termos correlatos) têm também nomes ingleses:

basquete (redução de *basquetebol*, de *basket-ball*), ou *bola ao cesto*); *voleibol* (de *volley-ball*), reduzido a *vôlei*; e mais *tênis* (*tennis*), *golfe* (*golf*), *hóquei* (*hockey*), *polo, sinuca* (*snooker*), *box* ou *boxe, ringue* (*ring*), *nocaute* (*knock out*), entre muitos. E termos como *ace* (rede), *grid* (grade de largada), *pit stop* (parada no boxe), etc.

No vestuário, da democrática calça *jeans* ao *blazer*, ao *smoking* e ao *black-tie* da *soçaite* (*society*); na alimentação, o *bife* (*beaf*) antecedeu o *hot-dog* (*cachorro-quente*) e o *hambúrguer*, o *milk-shake* e o *sundae*; na música, há quem tenha saudades do *fox-trot* ou do *fox-blue*, mas ao *jazz* e ao *swing* sucedeu o *rock*, que hoje impera entre os jovens de todo o mundo, com mil variações de música *pop*: *blues, funk, punk, new-wave, new-age, heavy, reggae*, etc.

Na área da Comunicação, da Economia e da Informática estão se generalizando certos termos e expressões antes restritos a um meio técnico; os jornais e revistas estão repletos de anglicismos como *software, hardware, know how, bit, open market, overnight, holding, lobby, marketing, mídia* (de *media*, com a pronúncia inglesa), *cartum* (*cartoon*), etc.

Além dos já citados, veja uma relação de termos, alguns mais antigos, que o português tomou do inglês, quase todos aportuguesados:

abolicionismo, alô, bar, bebê (de *baby*), *bigle* (*beagle*), *blefe* (*bluff*), *bote* (*boat*), *boxer, breque* (*break*), *bridge, brigue, buldogue* (*bulldog*); *cabograma* (*cablegram*), *casimira* (*kerseymere*), *cheque* (*check*), *chulipa* (de *sleeper,* "*dormente*"), *clip*(*e*), *club*(*e*), *coquetel* (*cocktail*), *comodoro* (*commodore*), *coque* (*coke*), *dândi* (*dandy*), *desapontamento* (*disappointment*), *dólar, draga* (*drag*), *dreno* e *drenar* (*drain*), *drinque* (*drink*); *elevador* (*elevator*), *escalpo* (*scalp*), *escoteiro* (*scout* + -*eiro*), *spleen, esterlina* (*sterling*), *film*(*e*), *flerte* (*flirt*) e *flertar, folclore* (*folklore*), *galão* (*gallon*), *gim* (*gin*), *grogue* (*grog*), *humor* (*humour*) e *humorista, iate* (*yacht*), *jarda* (*yard*), *jóquei* (*jockey*), *júri* (*jury*), *lanche* (*lunch*), *linchar* (do sobrenome Lynch), *lord*(*e*); *macadame, malte* (*malt*), *panfleto* (*pamphlet*), *paquete* (*packet[boat]*), *parlamento* (*parliament*), *piche* (*pitch*), *pôquer* (*poker*), *pudim* (*pudding*), *pule* (*pool*), *puritan*(*o*), *repórter, revólver, rifle, rinque* (*rink*), *rosbife* (*roast-beef*), *rum, sanduíche* (*sandwich*), *standard, stress, teste* (*test*), *túnel, turf*(*e*), *turismo* (*tourism*), *uísque* (*whisky*), *vanguard*(*a*), *xerife* (*sheriff*).

Você mesmo pode multiplicar esta já extensa relação.

Numerosas outras línguas deixaram sua marca no português. Mas nenhuma delas teve as características de "invasão" cultural como as citadas.

E o português continua aberto à importação de termos estrangeiros, sejam alemães, russos, até japoneses, chineses e hindus, com a cada vez maior onda orientalista em nossos costumes. São desta nova safra desde o *quibe* sírio-libanês (árabe) à *sauna* finlandesa ou à *ioga* indiana, ao *ginseng* chinês e ao *zen, sachimi, suchi* japoneses...

25. AS PALAVRAS TAMBÉM MUDAM DE SENTIDO

Não é apenas a forma das palavras que evolui e se modifica através dos tempos: paralelamente às mudanças *fonéticas*, nos sons (o radical grego *-fon-* quer dizer "som") elas sofrem mudanças semânticas, no sentido (o radical grego *-semant-* quer dizer" significação").

E mesmo as palavras tomadas de empréstimo ao latim literário ou a outra língua escrita podem adquirir sentido diferente. Pode haver tanto generalização quanto especialização de sentido; às vezes enobrecimento, outras vezes degradação.

Os exemplos são inúmeros. Eis alguns:

1. *Lápis*, em latim (língua em que a palavra possuía várias formas, de acordo com sua função na frase, como *lapidis*, *lapidem*, entre outras) significava "pedra" (em geral), "pedra tumular", "marco miliário" (que indicava as milhas nas estradas romanas); "pedra preciosa".

O português, no século XVI, tomou provavelmente do italiano a palavra *lápis*, já com o sentido especial de "grafite", ou seja, "variedade de carbono cristalizado, próprio para escrever". E hoje designa qualquer bastãozinho, geralmente de madeira e cilíndrico, que envolve uma mina de grafite ou de outras substâncias, destinado a escrever, desenhar ou pintar.

Da forma *lapidem* provém, por via erudita, a nossa *lápide*, que se usa apenas nos sentidos de "laje com inscrição comemorativa" e "laje tumular".

2. Do latim *vitium*, "vício, defeito, anomalia, imperfeição moral", além de *vício*, de origem culta, com os mesmos sentidos, tem o português duas outras palavras, de origem popular, com sentidos especializados: 1.ª, *vezo*, "hábito ou costume, geralmente criticável"; 2.ª, de significação muito diferente, *viço*,

que é o "vigor de vegetação nas plantas" e, daí, "exuberância de vida". Este novo sentido se deve ao fato de a "anomalia" no crescimento de uma planta ser favorável.

3. *Carroça*, antigamente, era "carruagem de luxo"; hoje em dia, o sentido degradou-se: é "carro grosseiro", "carro velho, vagaroso"...

4. A família portuguesa derivada do latim *macula* ("mancha, malha, marca natural"; "nódoa", "defeito"; "malha dum tecido") tem vários representantes. Por via popular, *mancha* é o termo de sentido mais geral; *malha* tanto pode ser a "trança de qualquer fibra têxtil", a "abertura no entrançado de um tecido", o "entrançado de um fio de metal com que se fabricavam as armaduras", o "tecido que se desfia facilmente", a "roupa feita com tecido entrançado", como também a "mancha natural de coloração diferente na pele dos animais" ("vaca *malhada*"); *mágoa*, que já significou "mancha proveniente de uma contusão", hoje só se emprega no sentido de "desgosto, amargura, pesar, tristeza" causados por uma ofensa ou desconsideração. Já por via culta nos veio *mácula*, termo empregado quase sempre no sentido figurado de "mancha ou nódoa": "virgem sem *mácula*".

5. O adjetivo latino *planus* significa "plano, igual, raso, nivelado"; "chato, achatado". Em português, por via popular, deu-nos: *chão*, primeiro como adjetivo ("plano, liso", "singelo, simples", "habitual, trivial"), depois como substantivo ("solo, pavimento "); *porão*, o "espaço mais baixo de um navio"; "parte de uma habitação entre o solo e o primeiro pavimento". Por via erudita, *plano*, adjetivo ("de superfície lisa"): "terreno plano"; e substantivo: "superfície plana limitada", "planície"; "planta, mapa"; e daí "projeto", "trama"; "arranjo"; "situação", "categoria". Indiretamente, por empréstimo do castelhano, temos *lhano* ("sincero, franco"; "simples, despretensioso"; "afável, delicado"); e do italiano tomamos *piano*, o instrumento musical.

6. Um dos mais curiosos exemplos de enobrecimento de sentido ocorreu com a palavra *marechal* (empréstimo ao francês), que hoje designa "o mais alto posto da hierarquia do Exército", e na sua origem era simplesmente o "criado do cavalo",

um humilde empregado que, na Idade Média, cuidava de certo número de cavalos da Corte. Mas como pôde a palavra sofrer tão forte alteração?

É preciso lembrar a importância da cavalaria nas guerras antigas, e que ao *marechal* foram aos poucos atribuídos novos encargos: passou ele a organizar a cavalaria em ordem de batalha, sob as ordens de um oficial; posteriormente o ofício de marechal foi aumentando de importância, passando a designar o "oficial cavaleiro", depois "oficial graduado", até indicar o mais alto oficial do Exército.

Parece que o sentido de *marechal* andou de avião, e não a cavalo...

Outras vezes é forte a degradação de sentido:

7. *Vilão*, que era apenas o "aldeão", o "habitante do campo", veio a significar "homem grosseiro", "perverso", infame". Certamente há de ter influído a associação (indevida) com *vil*. E, na maneira de ver dos aristocratas, dos nobres, dos homens da cidade, só os da aldeia, da *vila*, do campo são grosseiros, capazes de praticar ações vis...

8. *Tratante*, no português antigo, era apenas "o que trata (de negócios, de papéis)"; mas a falta de honestidade de certos "tratadores" e negociantes foi responsável pela deterioração do sentido para "canalha, patife, velhaco".

9. *Libertino*, a princípio "filho de escravo liberto", tomou o sentido de "libertado dos preceitos da moral e da religião", e daí "devasso", "imoral", "despudorado", "dissoluto".

10. *Cretino* é palavra que várias línguas românicas tomaram emprestada de um dialeto franco-provençal dos Alpes Suíços, *cretin* (do latim *christianu*, "cristão"). Nessa região muitos dos habitantes eram acometidos de *cretinismo* ou *bócio* (doença caracterizada pelo crescimento da tireoide, vulgarmente conhecida por *papo*), e assim denominados por comiseração, "pobre cristão", "pobrezinho". Como o bócio provoca a parada do desenvolvimento físico e mental, o termo passou a usar-se pejorativamente com o significado de "imbecil", "idiota".

Mas nem sempre há degradação de sentido, como comprovam estes exemplos:

11. À primeira vista, ninguém associará *lindo* a *legítimo*. Mas é preciso saber que o latim *legitimu*, a princípio termo jurídico ("legal, conforme às leis"), também passou a significar "perfeito", "excelente", e nos deu, além da forma erudita *legítimo*, a evolutiva *lídimo*, a qual, por uma permuta de sons usual, deve ter tido a forma *límido*, que, com a queda, bastante comum, do *i* seguinte à sílaba tônica, transformou-se em *lim'do*, e finalmente *lindo*. A evolução de sentido terá sido a seguinte: legítimo ☐ puro ☐ nobre de estirpe ☐ perfeito ☐ formoso.

12. O adjetivo *limpo* (antigamente *límpio*) é transformação fonética do latim *limpidu*, "claro", "transparente", que nos deu *límpido* por via erudita. A mudança de sentido se explica facilmente: para ficar transparente, um vidro deve estar limpo.

13. Ao pedir alguém um "*caldo* de cana bem gelado", ninguém hoje percebe contradição. Mas a palavra *caldo* provém do latim *calidu*, adjetivo que quer dizer "quente", sentido ainda vivo em "águas *caldas*", ou simplesmente *caldas*, "águas termais", nome existente, por exemplo, em *Caldas Novas*, cidade de Goiás famosa pelas suas fontes de águas quentes, e *Poços de Caldas*, não menos famosa estância hidromineral. Também o substantivo *calda* perdeu a sua conotação primitiva de "quente", e passou a designar a "solução de açúcar e água fervidos juntos" (muitas vezes com suco de alguma fruta). Por via erudita, *calidu* nos deu *cálido*, que, ao lado de "quente", significa, figuradamente (como em latim), "ardente", e "apaixonado".

14. *Comprar* provém do latim *comparare*, "comparar", "confrontar". O sentido atual se explica pelo fato de o bom *comprador*, antes de adquirir (um produto, um objeto), *compara* (qualidade, preço).

15. Você já pensou que *cunhado* resulta do latim *cognatu*? E *cognatu* ("nascido do mesmo sangue"), ao contrário de *cunhado*, é "parente pelo sangue", e não por afinidade. *Cognato* é forma erudita, e além do sentido jurídico de "parente consanguíneo", usa-se em gramática para designar a "palavra que tem

raiz comum com outras", como *CLARo, CLAReza, CLARidade, esCLARecer.*

16. *Fogo* (que em latim se dizia *ignis*) tem origem noutra palavra latina, *focu,* cujo primeiro sentido é "lar doméstico", "lareira", e só posteriormente passou a significar "fogo". Por via culta, *focu* nos deu *foco,* já com sentidos novos.

17. O latim *lucru,* por via culta, nos deu *lucro,* de sentido semelhante. Mas, por via popular, a forma resultante é *logro,* "engano", "trapaça", "fraude". Há certa tendência a dar sentido pejorativo aos termos comerciais: na verdade, para aumentar seu *lucro,* o comerciante muitas vezes *logra* o freguês. Observe que o cognato *lograr,* ao lado do sentido depreciativo, conserva o de "obter", "desfrutar", "conseguir".

18. *Minuto* e *miúdo* provêm, por vias diferentes, do mesmo termo latino, *minutu,* que quer dizer "diminuído", "miúdo". O sentido da forma culta, *minuto,* resulta de ser parte diminuta em que se divide a hora. — O feminino latino *minuta,* "diminuída", passou a aplicar-se aos rascunhos, que eram escritos com letras muito miúdas.

19. O primeiro sentido do verbo latino *pensare* é "suspender", "pendurar (das conchas da balança)", "pesar", e nos deu, por via popular, *pesar.* Do sentido concreto de "pesar" deriva o figurado de "pesar os prós e os contras", "ponderar", "examinar", que nos leva ao de "meditar", "refletir", próprio da forma culta *pensar.*

20. O latim *orare* tinha o sentido de "pronunciar uma fórmula ritual, uma súplica, um discurso"; "pedir", "rogar"; "pleitear", "advogar". Estas duas últimas acepções estão presentes nos cognatos *oração* (lat. *oratione*) e *orador,* da linguagem jurídica. Mas o verbo, por influência do latim da Igreja, especializou-se no sentido de "suplicar a Deus", "rezar".

21. *Recitare,* "ler em voz alta", "recitar", "ler", além da forma erudita *recitar,* com o mesmo sentido, deu-nos a forma popular *rezar,* cujo sentido se especializou como "recitar ou ler orações".

A EXPRESSIVIDADE E O ESTILO

26. A LÍNGUA COMO INSTRUMENTO DE BELEZA

Engana-se quem pensa que a língua funciona exclusivamente como meio de INFORMAÇÃO entre falante e ouvinte, entre escritor e leitor: muitas vezes ela é usada como forma de externar o que nos vai no mais íntimo da alma, sem que haja necessariamente um receptor da mensagem. O poeta e o romancista escrevem por uma necessidade interna, para extravasarem seus sentimentos.

Enquanto a linguagem de informação, para cumprir sua finalidade, deve ser objetiva, neutra — o que acontece raramente —, a linguagem expressiva carrega-se de matizes poéticos, subjetivos, procurando, mediante todo um jogo de artifícios, transmitir algo de belo, de artístico. É a finalidade ESTÉTICA sobrepujando a função informativa.

Se você compulsar um jornal, muitas das suas matérias serão essencialmente, mas não exclusivamente, escritas em linguagem objetiva.

Você encontrará, por exemplo, no noticiário local e internacional, informações como estas:

1. "A artilharia do Iraque derrubou um avião civil do Irã. Não houve sobreviventes."

2. "O *Challenger* explode no ar, matando seus tripulantes."
3. "Haverá novo aumento do preço da gasolina."
4. "Passa bem o menino que recebeu transplante de fígado."
5. "Tempo bom, com nuvens esparsas. Temperatura estável. Ventos brandos do sudeste. Mínima de ontem: 17°C; máxima: 27°C."

Todas estas notícias estão escritas em linguagem o quanto possível neutra, sem enfeites nem adornos, destinada somente a INFORMAR.

O mesmo jornal, entretanto, poderá conter matérias em estilos diferentes; umas, com o objetivo não apenas de informar, mas de lamentar certas ocorrências insensatas, de criticar, ou de convencer o leitor da razão ou sem-razão de certas medidas tomadas pelo Governo.

Outras, ainda — crônicas, por exemplo —, traduzem somente o estado de espírito do escritor, e são elaboradas sem qualquer intuito informativo: pretendem apenas transmitir ao leitor um pouco de prazer intelectual. E para isso o cronista dispõe da liberdade de jogar com as palavras, buscando fazê-las um veículo de graça e de beleza.

Compare-se o que diz um cronista a respeito da mudança do tempo com a sóbria notícia da coluna "Previsão do tempo", de meados de abril, acima transcrita (n.º 5).

O título já antecipa a diferença de tratamento: "Primavera no Outono." E assim começa:

"Abril vai em meio e expulsou o calor. No céu de safira nuvenzinhas de algodão desenham figuras caprichosas.

As noites frescas propiciam um sono suave, povoado de sonhos risonhos.

E o ventinho frio obriga, na madrugada, a puxar uma colcha aconchegadora.

É o nosso outono-primavera."

Se você examinar detidamente o pequeno texto, há de reparar em certas palavras e expressões usadas fora do seu sentido próprio — o sentido FIGURADO:

" Abril... *expulsou* o calor." [Empresta-se a um nome de mês a capacidade humana de expulsar.];
"céu *de safira*": o nome da pedra preciosa sugerindo o azul intenso;
"nuvenzinhas de algodão": — o cronista-poeta sabe que as nuvens não são feitas de algodão; e nós leitores visualizamos imediatamente o tipo de nuvens descritas. E o uso do diminutivo — *nuvenzinhas* —, mais do que o tamanho, desperta nossa afetividade, tal como *ventinho*, logo adiante. E as nuvens, todos sabemos, não *desenham*.

Os adjetivos ocorrem com mais frequência: *caprichosas, frescas, suave, risonhos* (não são os sonhos que sorriem, mas nós).
"Outono-primavera". — A junção do nome de duas estações separadas por meses foge ao rigor científico, mas desperta em nós o sentimento de que o nosso outono é agradável como a primavera.

Estamos, enfim, em pleno domínio da linguagem expressiva, poética, feita para impressionar agradavelmente e não para informar.

(Sobre a **linguagem figurada**, veja o capítulo seguinte.)

PROSA E VERSO. POESIA

Atrás falei em "linguagem poética" referindo-me a um trecho escrito não em versos, mas em PROSA, pois é dividido em parágrafos, e não em ESTROFES. (ESTROFE é um grupo de versos separado de outro por um espaço em branco maior.)

Na verdade, há versos que nada possuem de poético, e pode haver trechos em prosa carregados de poesia — linguagem mágica, destinada não a informar, mas a despertar em nós sentimento de beleza.

Na prosa comum, não poética, predominam os elementos linguísticos indispensáveis à comunicação; na poesia (seja em prosa poética, seja em versos), ao contrário, os elementos supérfluos, dispensáveis, superam os indispensáveis.

Veja a distância que vai da comunicação à linguagem poética nestas pequenas amostras.

I – "MÚSICA DE CÂMARA"
Um pingo d'água escorre na vidraça.

Rápida, uma andorinha cruza no ar.
Uma folha perdida esvoaça,
esvoaça...
A chuva cai devagar."
            (Ronald de Carvalho)

II – "SEGREDO
andorinha no fio
escutou um segredo.
Foi à torre da igreja,
cochichou com o sino.

E o sino bem alto:
delém-dem
delém-dem
delém-dem
dem-dem!

Toda a cidade
ficou sabendo."
            (Henriqueta Lisboa)

III – "TREM DE ALAGOAS
O sino bate,
o condutor apita o apito,
solta o trem de ferro um grito,
põe-se logo a caminhar...

— Vou danado pra Catende,
vou danado pra Catende,
vou danado pra Catende
com vontade de chegar...

Mergulham mocambos
nos mangues molhados,
moleques, mulatos
vêm vê-lo passar.

— Adeus!
— Adeus!"
            (Ascenso Ferreira)

Você poderá descobrir, nos três poemas transcritos, uma série de recursos expressivos que fazem parte do JOGO POÉTICO (os poetas brincam com as palavras!):

– combinações e repetições expressivas
a) de fonemas, como a RIMA, que não é obrigatória (vidraça/ esvoaça, ar/ devagar; apito/ grito, caminhar/ chegar/ passar; a ALITERAÇÃO (mergulham/ mocambos/ mangues/ molhados /moleques/ mulatos);
b) de palavras (*esvoaça, esvoaça; delém-dem,* etc.; *Vou danado pra Catende* — três vezes, imitando o ritmo da locomotiva; *Adeus! Adeus!* sugerindo o apito);
c) de ritmo: os versos da 1.ª estrofe do poema de Henriqueta Lisboa têm o mesmo número de sílabas;

– elipses (= palavras ocultas) inesperadas: "E o sino [bateu, ou tocou] bem alto";

– a sugestão mais que a informação, numa contenção de língua muito própria, na tentativa de apreender a magia de fatos para outros corriqueiros, como a "Música de Câmara";

– o uso de termos fora do seu sentido habitual — a linguagem "figurada": é uma folha que esvoaça (como se fosse um pássaro), o trem que solta um grito (como um ser humano).

27. A LINGUAGEM FIGURADA: AS "FIGURAS"

Na permanente busca da expressividade, o escritor (e também o falante!) lança mão de recursos novos, dispensáveis para a simples comunicação: entram em jogo o sentimento, a emoção, a afetividade.

Para isso, o escritor (ou o falante) desvia-se da FORMA e das CONSTRUÇÕES normais, do SENTIDO primeiro das palavras — é o campo da DENOTAÇÃO — para formas, construções e sentidos "figurados" — no campo da CONOTAÇÃO.

Poder-se-ia, assim, definir FIGURA como uma alteração ou desvio na FORMA, CONSTRUÇÃO ou SIGNIFICAÇÃO das palavras com finalidade expressiva.

Daí resulta a classificação tradicional das FIGURAS em três grandes grupos:

1. Figuras que dizem respeito a alterações na FORMA das palavras, usadas sobretudo no verso, permitidas como "licença poética", e que se conhecem pelo nome de *metaplasmos* (palavra de origem grega formada pelo prefixo *meta-*, que quer dizer "mudança", e pelo radical *-plasm-*, que significa "forma").

Numas ocorre SUPRESSÃO de sons, p. ex. *'stamos*, por *estamos*, neste verso famoso de Castro Alves:

"'Stamos em pleno mar",

ou no 2.º verso deste quarteto de um soneto de Camões, que usa *'maginação* por *imaginação*, com isso obtendo também uma sílaba a menos:

"Quando de minhas mágoas a comprida
Maginação os olhos me adormece,
Em sonhos aquel'alma me aparece
Que para mim foi sonho nesta vida."

[Observe ainda a supressão do *a* final de *aquela*, no 3.º verso.]
Mais interessantes, porém, são as seguintes:

2. Figuras que dizem respeito à CONSTRUÇÃO da frase, por isso mesmo chamadas "figuras de sintaxe", em que se procura obter maior expressividade por vários meios:

A. Pela REPETIÇÃO:
a) de conceitos:
"*Chorou lágrimas* amargas." (Mais enfático do que "Chorou amargamente." — Em *chorar* já se subentendem lágrimas.)

b) de um termo que se quer realçar, antecipando-o, e que surge outra vez, no lugar próprio, sob forma diferente — um pronome da mesma função, como nesta passagem da novela *O Alienista*, de Machado de Assis:
"*Os* que lá não penetram, engole-*os* a obscuridade."
(Sem a figura teríamos: "A obscuridade engole os que lá não penetram.")

Às vezes é o pronome que se antecipa:
"Matou-*os a ambos* com os maiores requintes de crueldade." (Da mesma novela.)

Nestes exemplos acima a repetição recebe o nome de PLEONASMO.

c) de uma conjunção coordenativa, como neste verso do poema "A mosca azul", também de Machado de Assis:
"*E* zumbia, *e* voava, *e* voava, *e* zumbia."

(A repetição do *e* e dos verbos — puramente expressiva —, empresta ao verso uma sensação de continuidade que não teria se se dissesse apenas: "zumbia e voava.")

d) num crescendo de ideias que se encadeiam — o CLÍMAX — como neste passo de Graciliano Ramos:
"*Procurei, rebusquei, esquadrinhei,* estive quase a recorrer ao espiritismo..." (Relatório de Prefeito de Palmeira dos Índios.)

B. Pela SUPRESSÃO de palavras que facilmente se subentendem, porque estão presentes em nossa mente: é a chamada ELIPSE:
"É que os morros serão doentios, e as praias saudáveis. (M. de Assis) [Depois de *praias* se subentende *serão*.]
"O silêncio é de ouro e a palavra de prata. " [Depois de *palavra* se subentende *é*.]

C. Pela INVERSÃO da ordem natural dos termos da oração, e das orações no período. O nome genérico desta figura é HIPÉRBATO. Um bom exemplo são os versos de Camões atrás citados, cuja ordem direta seria:
"Aquela alma que foi sonho para mim nesta vida me aparece em sonhos quando a comprida (i)maginação de minhas mágoas me adormece."

D. Pela DISCORDÂNCIA:
A falta de concordância — concordância estilística, não gramatical — recebe o nome de SILEPSE, que pode ser:
a) *de gênero*:
"*São Paulo* está adiantadíssim*a*."

[Ocorre o feminino porque em nosso espírito está presente o substantivo feminino *cidade*.]

b) *de número*. Em seus prefácios, é comum que os autores, por modéstia (muitas vezes falsa...); usem a 1.ª pessoa do plural pela do singular. Mas na hora de empregar os adjetivos predicativos, mantêm o singular, num dos mais curiosos tipos de discordância da nossa língua. Escreve um deles:
"Antes *sejamos breve* que *prolixo*."

c) *de pessoa*. Outro caso comum de discordância é o uso da 1.ª pessoa do plural (equivalente a *nós*) em lugar da 3.ª, pelo fato de quem escreve se incluir como 1.ª pessoa (*eu*) entre os componentes do sujeito:
"*Os brasileiros*, em regra, *somos* [em vez de *são*] conciliadores."
"Nem tudo tinham os antigos, nem tudo *temos* [por *têm*] os modernos."

d) *por atração*: uma palavra próxima leva um adjetivo a concordar com ela, desviando-se da concordância lógica ou gramatical:
"*Má hora* e lugar escolheste."

[Tanto a hora quanto o lugar são *maus*: o adjetivo, que gramaticalmente devia ir para o masculino plural, segundo o machismo imperante na linguagem, é atraído pelo feminino *hora*.]

e) *por afetividade*. Na linguagem afetiva prevalece a emoção sobre a razão, e a concordância nem sempre se estabelece:
"*Vamos* dormir *quietinho*, meu filho?"

O anacoluto

Ocorre o ANACOLUTO (palavra de origem grega formada de *an-* "falta de" + *acoloutos*, "sequência"), quando se interrompe a sequência lógica do pensamento, e a frase se desvia da construção já começada para outra:

"*Quem tem dinheiro*, não lhe falta companheiro." (Provérbio)

O termo grifado, com aparência de sujeito, não se integra sintaticamente na frase. — Não haveria anacoluto se se dissesse: "Quem tem dinheiro consegue companheiro."; ou: "*A quem tem dinheiro* não lhe falta companheiro."

3. Figuras que dizem respeito ao SENTIDO, ou FIGURAS DE PALAVRAS: determinada palavra se usa expressivamente numa significação que não é a sua própria, e ganha sentido ou sentidos novos. A mais importante é a METÁFORA.

A imaginação do escritor vai buscar, nas suas associações mentais, semelhanças por vezes insuspeitadas para elaborar a sua mensagem, que tem em vista não a mera comunicação, mas uma finalidade estética.

O que o homem do povo faz por intuição, o artista realiza conscientemente: busca revestir suas ideias de imagens sensíveis, embelezadoras da expressão.

E descobre relações de semelhança ou de contiguidade entre os objetos, passando a designar o objeto real pelo nome de outro. As palavras deixam de ter apenas o seu sentido normal, denotativo — o dos dicionários —, e ganham sentidos novos, conotativos.

DA COMPARAÇÃO À METÁFORA

Fixando-se no objeto das suas cogitações (A), o escritor nele descobre semelhanças, qualidades em comum (Q) associadas com outro objeto (B), presentes apenas na sua imaginação. Exemplifiquemos:

objeto A	qualidade comum Q	objeto B
1) lábios de mulher	maciez, doçura,	pétalas de rosa,
2) pétala de flor	cor vermelha	mel,
	maciez	seda, veludo

Tais associações mentais permitem-lhe fazer, com feição artística, expressiva, o confronto concreto entre o objeto A e o objeto B, mediante certas palavras que exprimem semelhança (S), na figura chamada COMPARAÇÃO:

1. As *pétalas do cravo* são *macias qual* a *seda*.
       A   Q   S   B

2. Os *lábios da amada* eram *macios e vermelhos*
          A   Q
   como pétalas de rosa.
     S   B

Observe que a qualidade comum pode estar implícita:

1-A. As *pétalas do cravo lembram* [ou *parecem*] *seda*.
      A   S   [S]   B

2-A. Os *lábios da amada pareciam pétalas de rosa*.
      A   S   B

Esse é o primeiro passo para a metáfora — a figura por excelência.

A IMAGEM OU METÁFORA DE IDENTIFICAÇÃO

Se forem eliminados os elementos Q e S de uma comparação, de forma que esta se faz apenas mentalmente, e se A for identificado a B, por meio de verbo *ser*, fica subentendida a qualidade comum aos dois objetos. Assim se transformam comparações em

IMAGENS ou METÁFORAS DE IDENTIFICAÇÃO:

1-B. <u>São</u> de <u>seda</u> as <u>pétalas do cravo</u>.
    B

2-B. <u>Pétalas de rosas</u> <u>eram</u> <u>seus lábios</u>.
    B   A

Esta é a metáfora primária, ainda não em estado de pureza, pois nela figuram os nomes dos dois objetos e o verbo de ligação, *ser*.

A METÁFORA DE SUBSTITUIÇÃO OU METAFORA PURA

Na metáfora pura, designa-se *diretamente* o objeto A pelo nome do objeto B, que tem com aquele uma relação de semelhança:

" Andam nascendo perfumes
na *seda* crespa dos cravos."
(*Cecília Meireles*)

"*Pérolas* me sorriam na *rosa* entreaberta da sua boca."
[*Pérolas* substitui dentes (alvos e brilhantes); *rosa* substitui *lábios* (vermelhos e macios).]

A METONÍMIA

Um objeto A também pode ser designado pelo nome do objeto B, quando entre os dois existe uma relação de contiguidade, de proximidade, de posse:

"Senhora, partem tão tristes
meus *olhos* por vós, meu bem,

que nunca tão tristes vistes
outros nenhuns por ninguém."
(J.R. *Castelo Branco*)
[Os olhos pertencem ao poeta, e portanto podem designá-lo.]

"A boca morre de sede." (C. Meireles)
[Não é apenas a boca, mas todo o corpo que tem sede; *boca*, parte do corpo, está representando o todo.]

É pela metonímia (e sua irmã sinédoque[7]) que se usa *vela* por *barco*, *bronze* por *sino*, *coroa* por *reino*, *espada* por *militar*, *balança* por *justiça*, *pão* por *alimento*, *suor* por *trabalho*, *sal* por *mar*, etc.

Por meio desses e de tantos outros recursos, os poetas e prosadores vêm renovando a língua, afastando-a do trivial, tornando mais viva e mais concisa a mensagem de beleza que nos transmitem.

---

[7] Querem alguns autores distinguir a sinédoque da metonímia pelo fato de, na primeira, ser mais concreta a relação em que se baseia: o todo pela parte ou vice-versa (a *cidade* revoltou-se = os habitantes da cidade); a espécie pelo gênero ou vice-versa (os *mortais* = os homens); o plural pelo singular ou vice-versa (o *brasileiro* será cordial?); etc.
Já a metonímia é mais simbolizadora, pois que se baseia em relações mais abstratas, como o efeito pela causa ou vice-versa (Sócrates foi obrigado a beber a *morte* = o veneno que causa a morte); o moral pelo físico ou vice-versa (criatura sem *coração* = sem bons sentimentos); a coisa significada por aquilo que a significa (a *beca* = a magistratura); o conteúdo pelo continente ou vice-versa (serviram *pratos* finíssimos = iguarias); a obra pelo autor ou vice-versa (um *Portinari* = um quadro de Portinari); etc.
Hoje em dia usa-se *metonímia* abrangendo também a sinédoque.

28. EM BUSCA DA PALAVRA EXATA: A VARIEDADE TRAZ BELEZA

Há palavras que se usam como verdadeiras gazuas: abrem qualquer porta, mesmo que às vezes tornem capenga a expressão.

Vocábulos como *coisa* (e seu horrível derivado *coisar*), *negócio*, *troço* servem de muletas aos de expressão trôpega como substitutos de quaisquer termos que não ocorram na hora, do que resultam "belezas" deste gênero:

"Depois que ele *coisou* o negócio, a *coisa* vai. Você vai ver que *coisa*! é um *troço*!"

Usando sinônimos apropriados — que encontrará num dicionário — você evita vexames (ia escrever "coisas"...) como esse. Experimente! Eis uma amostra:

É uma *coisa* evidente.
A visão do crepúsculo *era* uma *coisa* deslumbrante.

É um *fato* evidente.
... *oferecia* um *espetáculo* deslumbrante.

OS SINÔNIMOS: NEM SEMPRE A PALAVRA DIFÍCIL É A MELHOR

Sempre se repete, com boa dose de razão, que não há sinônimos perfeitos.

Muitos vivem à cata de substitutos "difíceis", julgando que as palavras raras calham melhor numa redação, o que poucas vezes acontece: a repetição enfadonha dos mesmos termos é que a enfeia. É a *variedade* bem escolhida que pode trazer maior beleza ao texto. Um exemplo expressivo:

Para *barriga* um dicionário arrola os sinônimos *abdome* (ou *abdômen*), *bandulho, pança, papo, ventre*; mas não é de forma alguma indiferente o uso de cada palavra:

barriga é o termo geral, da linguagem familiar: "dor de *barriga*"; e em sentido 'figurado': "Ele fala de *barriga* cheia."; "Tirou a *barriga* da miséria."

bandulho é termo popular, um tanto grosseiro: "encher o *bandulho*";

pança também é popular: "Está com uma *pança* enorme."; "Encheu a *pança*.";

papo, também popular, só se usa neste sentido na expressão "de *papo* pro ar";

abdome (e mais rebuscadamente *abdômen*) é termo culto e científico: "Viam-se deslizar pela praça os imponentes e monstruosos *abdomens* dos capitalistas." — escreveu Aluísio Azevedo; "F. tem o *abdome* dilatado."; "Certos artrópodes não têm separação visível entre o tórax e o *abdome*.";

ventre, também culto (e semiculto), usa-se em expressões como "*prisão de ventre*". "Certos peixes têm o *ventre* muito volumoso." E, na linguagem religiosa, já com outro sentido: "Bendito é o fruto do vosso *ventre*."

Ninguém chegaria ao ridículo de querer substituir *papo* por *abdome* na canção popular: "Eu me vingo dela/ tocando viola de *abdome* pro ar"...

Entre os principiantes, é comum a repetição monótona de certos termos, o que lhes torna o estilo frouxo e inexpressivo: parecem não conhecer, p. ex., outro advérbio senão *principalmente*, quando poderiam variar usando *particularmente, especialmente, notadamente, mormente, sobretudo, em particular, em especial*.

O mesmo se diga da conjunção causal *pois*, para a qual dispõe a língua de substitutos como *já que, uma vez que, visto que, visto como, porquanto, porque*. (E frequentemente ocorre modernamente a substituição errônea do *pois* pela locução *posto que*, cujo sentido é *embora. ainda que, se bem que, conquanto* — com o verbo no subjuntivo.)

Outra locução que ocorre a três por dois é *devido a* (aliás sem tradição na língua), desprezando-se sinônimos expressivos como *graças a, em virtude de, em razão de, em consequência de, por causa de.*

Também há verdadeira mania no uso de *através de* que exprime corretamente, aliás, "travessia (no espaço e no tempo)" — para indicar o meio ou o instrumento, em lugar de *mediante, por meio de, por intermédio de, com base em, valendo-se de, servindo-se de,* ou simplesmente *por.*

Percorrendo a lista a seguir você poderá variar bastante sua maneira de exprimir-se.

NÃO USE APENAS (OU EVITE)	ALTERNE COM
abordar (no sentido de "tratar de")	tratar de, versar (sobre)
à medida que (Não confunda com *na medida em que*)	à proporção que
a partir de (a não ser com valor temporal)	com base em, tomando-se por base, valendo-se de, baseando-se em, fundando-se em
através de (para exprimir 'meio' ou 'instrumento')	por, mediante, por meio de, por intermédio de, segundo; servindo-se, usando-se, utilizando-se, ou valendo-se de
constatar	atestar, comprovar, evidenciar; observar, perceber; averiguar, verificar; registrar
destacar	acentuar, dar ênfase, frisar, ressaltar, pôr em relevo, salientar, sublinhar
deste modo	desse modo, assim sendo, assim, desta (ou dessa) forma, desta (ou dessa) maneira, destarte, diante disso, portanto, por conseguinte, em consequência, consequentemente
detalhe	minúcia, pormenor, particularidade
devido a	em razão de, em virtude de, graças a, por causa de
direcionar	dirigir, nortear, orientar
dito	citado, mencionado
enquanto	ao passo que

fazer com que	compelir, constranger, fazer que, forçar, levar a, obrigar a
inclusive (a não ser quando significa "incluindo-se")	até, ainda, igualmente, mesmo, também
na medida em que	pelo fato de que, quando, uma vez que
no sentido de	a fim de, para
com vistas a	com o fito (ou objetivo, ou intuito) de, com a finalidade de; tendo em mira (ou em vista)
"nuance"	matiz, meia-tinta, meio-tom, nuança
posicionamento	atitude, posição, postura
pois (no início de oração)	já que, porquanto, porque, uma vez que, visto como, visto que
principalmente	especialmente, mormente, notadamente, sobretudo; em especial, em particular
sendo que	e

NÃO USE	SUBSTITUA POR
a nível (*de*), *ao nível*	em nível, no nível
face a, frente a	ante, diante de, em face de, em vista de, perante
onde (quando não exprime 'lugar')	em que, na qual, nas quais, no qual, nos quais
(*medidas*) *visando...*	(medidas) destinadas a
Fulano dizia-se (ou *perguntava-se*)	F. dizia a si mesmo, consigo mesmo, com os seus botões; perguntava de si para consigo
sob um ponto de vista	de um ponto de vista
sob um prisma	por (ou através de) um prisma

OS VERBOS GENÉRICOS

Alguns verbos usuais de significação muito genérica e extensiva podem, em certos contextos, ser substituídos com vantagem por outros de significação específica, mais precisa, mais expressiva, mais elegante. Entre eles figuram (já ia escrever *estão...*) *dar, dizer, estar, fazer, ser* e *ter*, cuja repetição torna enfadonho qualquer tipo de discurso. Escolha o sinônimo mais adequado ao contexto, e melhore seu estilo!

I – DAR

1. *Deu* muitos livros à biblioteca pública. — doou, ofertou.
2. Naquela empresa, *dão* casa e comida aos operários. — oferecem.
3. Seu exemplo *deu* bons frutos. — produziu.
4. A experiência *deu* em nada. — resultou.
5. *Deu* a casa por empréstimo. — cedeu.
6. *Dou* permissão. — concedo.
7. Era preciso *dar* fiador. — apresentar.
8. *Deu* sinais de cansaço. — manifestou, revelou.
9. *Deu* uma grande mancada. — cometeu.
10. O alho *dá* mau hálito. — causa, produz.
11. *Deu* um grito de susto. — soltou, emitiu.
12. Os jornais *deram* a notícia. — publicaram, divulgaram.
13. *Deram* um banquete. — realizaram, ofereceram.
14. Por quanto me *dá* esse carro? — vende, cede.
15. *Dar* um purgante. — ministrar, administrar, aplicar.
16. *Deu* uma verdadeira aula sobre o assunto. — ministrou, proferiu.
17. Esta mesa não *dá* o conforto desejável. — proporciona, oferece, apresenta.
18. *Dá* toda a sua afeição a ela. — dedica, consagra.
19. O veneno do sapo *deu*-lhe uma grave doença. — causou, provocou.
20. *Deram*-me um bom quarto no hotel. — cederam, reservaram.
21. O texto *deu* quase 200 páginas. — perfez, chegou a, rendeu.
22. *Dê* a sua sugestão. — proponha, apresente.
23. O trabalho *dá* alegria. — proporciona, oferece, traz.
24. A antologia *dá* novo texto de Drummond — contém, publica, traz, inclui.

25. Este dicionário não *dá* a palavra *desmilinguir*. — registra, consigna, traz.
26. *Dou*-lhe garantias. — ofereço.
27. *Deu* a vida pela namorada. — sacrificou.
28. A critica *deu* a Graciliano a autoridade de clássico. — concedeu, atribuiu, conferiu.
29. Os amigos *deram*-lhe a notícia. — participaram, comunicaram.
30. Seu comportamento *dava* preocupação aos pais. — causava, trazia.
31. *Deu* dois carros usados por um novo. — ofereceu, trocou, permutou.
32. *Deu* milhões pelo cavalo. — pagou.
33. O Modernismo *deu* nova visão às Artes. — criou, estabeleceu, imprimiu.
34. É preciso que lhe *dêem* um crédito de confiança. — concedam, ofereçam.
35. As ideias de Braudel sobre História lhe *deram* renome mundial. — granjearam, trouxeram.
36. *Deram*-lhe a culpa injustamente. — atribuíram, imputaram.
37. *Dê*-lhe as suas razões. — exponha, mostre.
38. *Dava* nos filhos por uma ninharia. — batia; espancava os...
39. Afinal *deu* com o livro procurado. — topou, encontrou o..., achou o...
40. O sol *dava* no seu rosto. — batia, incidia, queimava o...
41. Finalmente *deu* com a solução do problema. — atinou, acertou.
42. Seus olhos *deram* com o visitante. — divisaram, avistaram, perceberam.
43. O dinheiro já não *dava* para os gastos. — bastava, era suficiente.
44. Não *dou* para isso. — Não tenho vocação, jeito, aptidão.
45. Agora *deu* de falar sozinho. — cismou.
46. Ultimamente *dei* de reler Camões. — dediquei-me a.
47. *Deram* duas horas. — bateram, soaram.

48. *Dou*-me bem no clima da serra. — sinto-me.
49. O crime *deu*-se antes da meia-noite. — ocorreu, aconteceu.
50. *Dá*-se a devaneios. — entrega-se, dedica-se.
51. Pouco se lhe *dá*. — Pouco lhe importa.
52. Agora se *dá* à Matemática. — aplica, dedica.
53. *Deu* a palavra ao outro orador. — concedeu, cedeu.

II – DIZER

1. A testemunha *disse* o que sabia. — expressou, confessou.
2. *Dizia* palavras sem nexo. — proferia, pronunciava.
3. Ele não conseguia *dizer* "*pneu*". — pronunciar.
4. *Dizia* tudo por mímica. — exprimia.
5. Estes versos *dizem* bem o sentimento do poeta. — exprimem.
6. *Dizia*, na carta, que passava bem. — declarava; escrevia.
7. Todos *disseram* "— Viva!", à sua passagem. — exclamaram.
8. Esse provérbio *diz* uma grande verdade. — ensina.
9. *Dizia* sempre a mesma coisa. — repetia, afirmava.
10. O poema *dizia* uma história de amor. — contava, narrava, referia.
11. Ela *diz* versos com muita expressividade. — declama, recita.
12. Naquela igreja ainda se *diz* missa em latim. — reza, celebra.
13. As rugas *dizem* bem a sua idade. — mostram, revelam, indicam, denotam.
14. A Constituição *diz* que todos são iguais perante a lei. — estabelece, preceitua, prescreve, determina, estatui.
15. O 5.º mandamento *diz*: "Não matarás". — ordena, manda, determina.
16. A música popular não lhe *dizia* nada. — não o seduzia; não o atraía, não o tocava.
17. Sua mãe bem lhe *disse* que não saísse. — aconselhou.

18. Todos o *dizem* um gênio. consideram; têm na conta de
19. Tais maneiras não *dizem* bem com a sua educação. condizem, combinam, se harmonizam.
20. *Disse* que se atrasara em virtude de um acidente. alegou.
21. *Disse* convicto que tudo era verdade. assegurou, asseverou, afirmou.
22. À sua pergunta, *disse* o réu que não era culpado. respondeu, replicou, retorquiu.
23. *Diz*-se um gênio incompreendido. considera-se; tem-se na conta de.
24. *Disse* as novidades com a maior calma. revelou; comunicou.
25. Braudel *diz* que a História tem avanços e retrocessos. afirma, declara, assevera, assegura, sustenta, opina, entende, pensa, julga.

III – ESTAR

1. O céu *está* nublado. apresenta-se, encontra-se, mostra-se.
2. Ele *está* indeciso. mantém-se, acha-se, permanece.
3. A polícia *esteve* de prontidão toda a noite. ficou, permaneceu, manteve-se.
4. *Está* sempre temeroso. vive, anda.
5. *Está* numa fase feliz de sua vida. acha-se, encontra-se; atingiu uma...
6. *Estava* de terno e gravata. trajava, usava, vestia.
7. *Esteve* longo tempo em pesquisas. dedicou-se... a, consagrou-se... a, manteve-se
8. Deixou o Rio e agora *está* num sítio. mora, vive.
9. *Esteve na* conferência. presenciou a; assistiu à.
10. O Oriente Médio sempre *está* em guerra. se acha, se envolve.
11. *Esteja* aí um momento: eu já volto. espere, fique.

12. O problema *está* na escolha certa. — reside, consiste; depende da.
13. *Estou* com a sua proposta. — concordo; aceito a sua proposta.
14. A dívida já *está nos* cem mil. — atingiu os..., se eleva a.

IV – FAZER

1. Deus *fez* o mundo em seis dias. — criou.
2. *Fazia* uma estante em poucas horas. — fabricava, montava.
3. *Fizeram* um novo prédio sobre as ruínas. — construíram, edificaram.
4. *Faz* um romance cada ano. — escreve, produz, compõe.
5. O Aleijadinho *fazia* maravilhas com pedra-sabão. — criava, executava, realizava, esculpia, talhava.
6. *Fazer* a barba, as unhas. — cortar, aparar.
7. *Fazer* sociedade com alguém. — ajustar, contratar, firmar.
8. *Fez* voto de pobreza. — formulou.
9. "O medo *faz* mais lisonjeiros que o amor". — origina, produz, cria.
10. Os acidentes de trânsito *fazem* muitas vítimas. — causam, ocasionam, provocam.
11. Ele mesmo *fazia* a cama ao levantar-se. — arrumava, arranjava.
12. Eugênio Gudin *fez* 100 anos. — completou, atingiu, viveu.
13. *Fez* o jantar em meia hora. — preparou.
14. Só *fiz* doze pontos na loteria esportiva. — consegui, obtive.
15. *Faz* pena vê-lo nesse estado. — dá, inspira.
16. *Fez* que não o viu. — fingiu, simulou.
17. Mal se pode *fazer* uma ideia do seu sofrimento. — formar, conceber.
18. A estrada, naquele ponto *faz* um S. — forma.
19. A velhice o *fez* mais compreensivo. — tornou.

20. O fogo *fez* a madeira em carvão. converteu; reduziu... a.
21. *Fizeram* uma homenagem ao escritor. prestaram, tributaram.
22. *Fazia* por ser um bom aluno. esforçava-se, diligenciava.
23. *Faça* como seu irmão. proceda, porte-se.
24. A crisálida *fez*-se borboleta. tornou-se, converteu-se, transformou-se em, virou.
25. Ele *fez*-se de desentendido. fingiu.
26. Estava calado, mas *fiz* que falasse. forcei.

V – SER

1. A vida *é* luta. resume-se em, consiste em.
2. *Era* a época das mangas. chegara, estava na.
3. Quando *for* mais velho, compreenderá. se tornar, ficar.
4. *É* a cara do pai. lembra.
5. Ignorava que "tépido" *é* "morno". significa, quer dizer.
6. Quanto *é* este livro? custa, vale.
7. Se agora as coisas se acham assim, que *será* no futuro? acontecerá, sucederá, ocorrerá, se passará.
8. O pior mal *é* ter nascido. consiste em.
9. Os filhos *são* a sua riqueza. constituem, representam, formam.
10. Este livro *é dele*. pertence-lhe.
11. O senhor também *é* de Minas? nasceu em, provém de.
12. *Era* de família tradicional. descendia, provinha, procedia.
13. Deus *seja* contigo. esteja; Deus te assista, te acompanhe, te proteja.
14. Ser ou não *ser*, eis a questão. Viver, existir.

VI – TER

1. *Tem* muitas fazendas. é dono de, possui.

2. *Tinha* o filho nos braços.   segurava, carregava, sustinha.
3. Espero *ter* minhas horas de lazer.   gozar, usufruir, desfrutar.
4. *Tinha* grande poder nas mãos.   detinha.
5. Ainda *tem* 15 dias de férias.   dispõe de, pode gozar.
6. Não conseguia *ter* nas mãos muito dinheiro.   conservar, manter.
7. *Teve* um cargo importante.   ocupou, obteve, alcançou, conseguiu, exerceu.
8. *Tinha* a simpatia de todos.   conquistava, obtinha, atraía, conseguia.
9. O pacote *tinha* dez livros.   continha, encerrava.
10. *Tiveste* o que desejavas.   obtiveste, alcançaste, lograste, conseguiste, conquistaste.
11. Minha sogra *teve* 13 filhos.   gerou, procriou, deu à luz, pariu.
12. Que *tem* isso?   importa, vale.
13. Ele *tem* asma desde criança.   padece de, sofre de.
14. *Teve* um deslumbramento.   sentiu, experimentou.
15. O livro *tinha* mais de 500 páginas.   comportava, apresentava.
16. Ele *tem* boa índole.   possui, é dotado de.
17. Felizmente *tenho* boa saúde.   gozo (de).
18. *Tem* boa aparência.   apresenta, mostra, ostenta.
19. *Tive* a criança em minha casa durante meses.   acolhi, abriguei, hospedei, recebi.
20. No casamento da filha, *tinha* um belo vestido.   usava, trajava, vestia, trazia.
21. *Teve* muita presença de espírito no incidente.   mostrou, revelou, deu prova de.
22. *Teve* maus momentos durante a viagem.   passou por, viveu, sofreu.
23. O espetáculo *teve* grande público.   atraiu, obteve, alcançou, logrou.

24. *Tenho* a mesma opinião.
25. *Tenha* cautela!
26. *Teve*, afinal, a recompensa aos seus esforços.
27. *Teve* o castigo merecido.
28. *Teve* resposta negativa ao seu pedido.
29. Que *tem* ele com a tua vida?
30. *Tinha* o dinheiro seguro.
31. Um povo consciente *tem* amor ao passado.
32. Na vida, só *temos* certa a morte.
33. Depois do susto, *tinha* o rosto lívido.
34. Sempre o *tive por* (ou *como*) honesto.
35. Ela já *tem* 40 anos.
36. O quarto só *tem* três metros por três.
37. Ele mal se *tinha* em pé.
38. *Tenho* de ir a São Paulo.
39. *Tenho* para mim que sua fama é um equívoco.

adoto, sigo, aceito.
proceda com.
obteve, recebeu, conseguiu, alcançou.
recebeu, sofreu, padeceu.

obteve, recebeu.

Que lhe importa (ou interessa) a tua vida?
mantinha, guardava, conservava, trazia.
consagra, dedica, vota, devota, tributa.
só existe.

apresentava, mostrava.

considerei, julguei, reputei, imaginei.
conta, completou.
mede.

mantinha, sustinha, aguentava.
preciso, necessito.
acho, considero, julgo, estou convencido de.

POSFÁCIO

IMPRESSÕES DE UM LEITOR
PAULO RÓNAI

Este é um livro que fazia falta. À ideia da gramática ligam-se, em geral, associações pouco amenas: enquanto muitos a acham uma disciplina bolorenta e dispensável, outros julgam-na uma excrescência prejudicial, que, em vez de facilitar o estudo da língua, só faz complicá-la. Entretanto, quando bem ensinada (o que também acontece às vezes), como não contribui ela para aprimorar a nossa capacidade de expressão! Verdade esta implícita no título do presente livro, em que o Autor, evitando a designação antipática, denomina-o não pelo assunto, mas pela finalidade, pois o que ele faz, na realidade, é instruir-nos sobre como evitar ou vencer as dificuldades principais da gramática portuguesa.

Para alcançar este fim, ele está aparelhado como poucos.

Uma de suas virtudes é a clareza com que torna acessíveis as noções mais complexas. Evita, quanto possível, os termos técnicos com que, no esforço de inventar nomes específicos para cada incidente da fala, mesmo o mais raro, os adeptos da linguística estão infestando até a linguagem comum. Decididamente, esses pedantismos não são de seu agrado.

Ligada a essa virtude esta outra, a da simplicidade. O prof. Adriano da Gama Kury usa uma língua escrita próxima à coloquial, e para conferir-lhe inteira naturalidade dirige-se ao leitor como se fosse o seu interlocutor.

Acresce uma capacidade didática inata. Sempre em tom de conversa, logra convencer o leitor de que o assunto versado, por mais intrincado que pareça, na verdade é transparente e, ao preço de um pequeno esforço intelectual, poderá ser dominado. Esse método dá resultados mesmo em casos de real complexidade, como por exemplo no das regras do emprego do hífen, que — convenhamos — é impossível coordenar num sistema coerente. Aí, pelo menos, encontramos devidamente explicadas as causas das incongruências apontáveis nos vários dicionários.

No decorrer de sua vida operosa, o Autor já foi revisor tipográfico, o que lhe ensinou os segredos da paginação, recurso tão útil da compreensão sinóptica. E já exerceu também o ofício de copidesque, o que, pelo contato contínuo com o desleixo alheio, favorece a conquista da elegância, da variedade e da precisão.

Por outro lado, graças a Deus, faltam-lhe completamente o ardor bélico e o furor missionário, que caracterizam tantos gramáticos. Quando diverge de um colega sabe discordar dele sem condená-lo. Alheio a qualquer fanatismo, passeia entre as leis da língua com um sorriso bonacheirão. Mais que leis, considera-as tendências da fala e sabe que as mais insólitas de hoje poderão tornar-se regras amanhã. Dogmatismo não é com ele.

Louvemo-lo também pela sua modernidade. Mais de 90 por cento de sua exemplificação provêm de autores vivos, conversações ouvidas, expressões apanhadas na imprensa escrita e falada. Quando, raramente, cita clássicos, não é para erguê-los em paradigmas de hoje, e sim para tornar sensível a evolução da língua.

Um dos primeiros leitores deste volume, nele muito aprendi, apesar de tratar quase exclusivamente de matérias versadas alhures à saciedade. Por isso só posso recomendá-lo a quantos queiram repassar e completar os seus conhecimentos de português.

Apraz-me a maneira familiar, quase caseira, com que ele aborda temas que em geral são pretexto para dissertações solenes e soporíferas. E gosto de apanhá-lo em flagrante em ocasiões em que esquece seu papel de gramático para lembrar o de cidadão, ou, noutras palavras, quando lhe ocorre inesperadamente que um exemplo gramatical tem também outro sentido. Assim no capítulo 15, onde exemplifica o uso do futuro do presente simples: "[O Presidente Tancredo Neves tomará posse amanhã.) (Dos jornais da época). [Mas lamentavelmente o destino não o permitiu.]"

Conheço o nosso Autor desde há vários decênios, de quando não era ainda um renovador do ensino de português, um mestre de mestres, orientador pioneiro de seus colegas de todo o Brasil. Fora-me apresentado pelo saudoso Professor Aurélio Buarque de Holanda Ferreira como um de seus melhores alunos do Colégio Pedro II. Semelhante recomendação fez com que lhe seguisse a trajetória com admiração e simpatia, acompanhando suas numerosas publicações, de cunho acentuadamente didático. Na impossibilidade de citá-las todas, limito-me à *Pequena Gramática* (para a explicação da nova Nomenclatura Gramatical), assunto que ele conseguiu tornar palpitante a ponto de esgotar doze edições, e os quatro volumes de *Meu livro de português*, baseados na leitura explicada (muito negligenciada em nossas escolas) de trechos vivos e expressivos da moderna literatura brasileira. Faço votos para que por muitos anos ele possa acrescentar-lhes novos títulos em benefício do ensino do português e daqueles que amam o nosso sofrido idioma pátrio.

EDITOR
Paulo Geiger

PRODUÇÃO
Sonia Hey

PROJETO GRÁFICO E DIAGRAMAÇÃO
Filigrana

CAPA
Luiz Saguar

Este livro foi impresso em São Paulo, em outubro, 2022,
pela Oceano Indústria Gráfica para a Lexikon Editora.
A fonte usada no miolo é a ITC Stone Serif, em corpo 10.
O papel do miolo é offset 63g/m² e o da capa é cartão 300g/m².